聖賢之道

湯一介

戊子年夏

國學基本教材

论语（上）

晏子然◎编注

浙江古籍出版社

“国学基本教材”编辑委员会

统　　筹：

孙劲松　向　珂　蒋蔚芳　周金芝

主　　编：李耐儒

编　　委：

李南晖　陆有富　刘乃溪　徐　骆　须　强

可延涛　李　凯　刘　舫　毛文琦　房春草

李宏哲　张　华　黄晓芳　赵立学　介江岭

张志强　姜李勤　白　坤　晏子然　施仲贞

张　琰　汪佳敏　姚之均　余雅汝　干璐娜

本册编注：晏子然

总 序

秋霞圃书院创办有年，在民间推动国学普及工作，志在以独立之精神、自由之思想为宗旨，促进古今中外文化思想与学术的交流，为中华民族文化的复兴而尽心尽力。其志可嘉，其行可感！

近年，秋霞圃书院耐儒兄主持编撰“国学基本教材”。本套国学教材集复旦大学、武汉大学、南开大学、中山大学、华东师范大学、上海师范大学等名牌院校的二十多名青年学人，采各种版本的国学读本之长，广泛吸取中小学一线语文教师的教学经验，精心编撰，是中小学生比较理想的国学读本，也是便于教师们使用的、较为系统的国学教材。

读本的篇目有:《弟子规》、《三字经》、《千字文》、《千家诗选读》、《幼学琼林》、《诗词格律》、《唐诗选读》、《宋词选读》、《论语》(上、下)、《史记选读》(上、下)、《大学 中庸》、《诗经选读》、《孟子》(上、下)、《左传选读》、《颜氏家训》、《诸子文选》(上、下)、《汉魏六朝文选》、《唐宋文选》、《礼记选读》、《楚辞选读》。每册有指导性概述，有经典原文，有对原文的注释与新译(赏析)，并配上文史链接(延伸阅读)、思考讨论等，图文并茂，准确生动，具有可读性与系统性。

梁启超先生说过，《论语》、《孟子》等经典“是两千年国人思想的总源泉，支配着中国人的内外生活，其中有益身心的圣哲格言，一部分久已在我们全社会形成共同意识，我们既做这社会的一分子，总要彻底了解它，才不致和共同意识生隔阂”。这就是说，“四

书”等经典表达了以“仁爱”为中心的“仁义礼智信”等中华民族的核心价值观念，这是中国古代老百姓的日用常行之道，人们就是按此信念而生活的。

中国文化的大传统与小传统是打通了的。国学具有平民化与草根性的特点。中国民间流传着的谚语是：“勿以善小而不为，勿以恶小而为之”；“老吾老以及人之老，幼吾幼以及人之幼”；“积善之家必有余庆，积不善之家必有余殃”。这些来自中国经典的精神，透过《弟子规》、《三字经》、《百家姓》、《千字文》、《千家诗》等蒙学读物及家训、族规、乡约、谱牒、善书，通过大众口耳相传的韵语故事、俚曲戏文、常言俗话，成为“百姓日用而不知”的言行规范。

南宋以后在我国与东亚的民间社会流传甚广、深入人心的朱熹《家训》说:“事师长贵乎礼也,交朋友贵乎信也。见老者,敬之;见幼者，爱之。有德者，年虽下于我，我必尊之；不肖者，年虽高于我，我必远之。”“人有小过，含容而忍之；人有大过，以理而谕之。勿以善小而不为，勿以恶小而为之。”又说，“勿损人而利己，勿妒贤而嫉能。勿称忿而报横逆，勿非礼而害物命。见不义之财勿取，遇合理之事则从……子孙不可不教，童仆不可不恤。斯文不可不敬，患难不可不扶。”朱子说此乃日用常行之道，人不可一日无也。应当说，这些内容来源于诗书礼乐之教、孔孟之道，又十分贴近大众。它内蕴着个人与社会的道德，长期以来成为老百姓的生活哲学。

王应麟的《三字经》开宗明义：“人之初，性本善。性相近，习相远。苟不教，性乃迁。教之道，贵以专。”这就把孔子、孟子、荀子关于人性的看法以简化的方式表达了出来。儒家强调性善，又强调人性的养育与训练。

清代李毓秀《弟子规》的总序说："弟子规，圣人训。首孝弟，次谨信。泛爱众，而亲仁，有余力，则学文。"以下分成"入则孝"、"出则悌"、"谨而信"、"泛爱众而亲仁"等几部分。这些纲目都来自《论语》。《弟子规》中对孩童举止方面的一些要求，如站立时昂首挺胸、双腿站直，见到长辈主动行礼问好，开门关门轻手轻脚，不用力甩门等，这些规范都是文明人起码应有的，是尊重他人而又自尊的体现。又如："晨必盥，兼漱口，便溺回，辄净手。冠必正，纽必结，袜与履，俱紧切。""斗闹场，绝勿近，邪僻事，绝勿问。将入门，问孰存，将上堂，声必扬。""用人物，须明求，倘不问，即为偷。借人物，及时还，后有急，借不难。"这都是有助于文明社会的建构的，是文明人的生活习惯，也是今天社会公德的基础。

朱柏庐在《朱子治家格言》起首的一段说："黎明即起，洒扫庭除，要内外整洁;既昏便息，关锁门户，必亲自检点。一粥一饭，当思来处不易；半丝半缕，恒念物力维艰。"这些都是平实不过的道理，体现到一个人身上就是他的家教。旧时骂人，说某某没有家教，那是很重的话，让其全家蒙羞。我们不是要让青少年一定要做多少家务，而是要他们从小学就动手打理好自己与家庭的事情，不要过分依赖父母，依赖他人，能够自己挺立起来，培养责任意识。同时，知道一粥一饭、半丝半缕都是辛劳所得，我们能够懂得去尊重家长与别人的劳动。如果我们真的有敬畏之心，就知道珍惜，不应该浪费。

南开中学的前身天津私立中学堂成立于1904年10月，老校长严范孙亲笔写下"容止格言"："面必净，发必理，衣必整，纽必结。头容正，肩容平，胸容宽，背容直。气象：勿傲，勿暴，勿怠。颜色：宜和，宜静，宜庄。"这四十字箴言来自蒙学，又是该校对学生容貌、行止的基本要求。校内设整容镜，师生进校时都要照镜正容色。

后来张伯苓先生治校，坚持了这些做法。

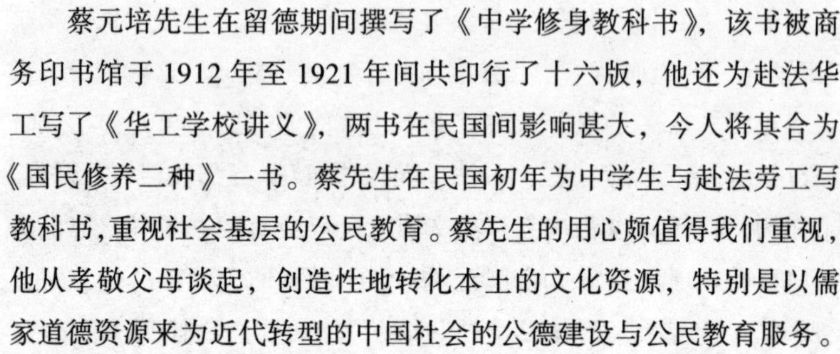

蔡元培先生在留德期间撰写了《中学修身教科书》，该书被商务印书馆于1912年至1921年间共印行了十六版，他还为赴法华工写了《华工学校讲义》，两书在民国间影响甚大，今人将其合为《国民修养二种》一书。蔡先生在民国初年为中学生与赴法劳工写教科书，重视社会基层的公民教育。蔡先生的用心颇值得我们重视，他从孝敬父母谈起，创造性地转化本土的文化资源，特别是以儒家道德资源来为近代转型的中国社会的公德建设与公民教育服务。

现今南京夫子庙小学的校训是“亲仁、尚礼、志学、善艺”。我认为这是非常好的。对孩童、少年的教育，首先是培养健康的心性才情，从日常生活习惯，从待人接物开始，学会自重与尊重别人。

我们今天强调成人教育，因为仅有成才教育是不够的，成才教育忽略了我们作为完整的人、健康的人所必需的一些素养，它在人格养成方面几乎是空白。这不是大学教育才有的问题，而是幼儿园、中小学教育就该关注的。养育青少年的性情，需要家庭、学校、社会的配合。

国学当中有很多修身成德、培养君子人格的内容。中国古典的教育，其实就是博雅教育。传统的教育并不是道德说教，也不是填鸭式满堂灌的教育，而是春风化雨似的，让学生在点滴中有所收获并自己体验，如诗教、礼教、乐教等。

我觉得应该让孩子们处在良好的文化氛围中。家长、老师们要以身作则、言传身教，这对孩子们影响很大。家长、老师有义务端正自己的言行，尤其在孩子们面前。要培养孩子分辨是非的能力，多在性情教育上下工夫，关注孩子的心理健康，多与孩子交流，洞察他们的情感，并做正确的引导。现在一些家长做不到以身作则，他们撒谎骗人，打骂斗狠，不尊重老人，这些都会给孩子的成长烙下负面的印记。

我们也希望同学们能趁着年轻记性好，多读些经典，最好能背诵一些，其中的意思以后可以慢慢领悟。南宋思想家陈亮说过："童子以记诵为能，少壮以学识为本，老成以德业为重……故君子之道不以其所已能者为足，而尝以其未能者为歉，一日课一日之功，月异而岁不同，孜孜矻矻，死而后已。"

本丛书所收经典与蒙学读物中有很多圣哲格言，都足以让我们受用终身。我们一直希望能有多一些的国学经典进入中小学课堂，至少让"四书"进入教材。我们希望能多一些国文课，让中小学生能接受到系统的传统语言与文化教育。中华民族有很多优根性，更需大大弘扬。

是为序。

郭齐勇

癸巳春于珞珈山

目　录

概　述

一

自人类诞生以来，多少帝王将相和他们的丰功伟绩都被时间的巨流湮没在历史的尘埃中，而思想巨人和他们的著作却永垂不朽。

公元前 600—前 300 年间，地球上的各个文明不约而同地出现了他们的精神导师，爱琴海畔有苏格拉底、柏拉图和亚里士多德，恒河流域有释迦牟尼，中国则有老子和孔子。盛产先哲的这几个世纪，被德国哲学家卡尔·雅斯贝尔斯称为人类文明的“轴心时代”。这些先哲虽然未必有金戈铁马的丰功伟业，也未必有震惊世界的奇崛发明，但他们用理智的方法、道德的方式来面对和思考这个世界，为形成多姿多彩的传统文化奠定了基础。其他没有伟大哲人的文明诸如埃及、巴比伦文明虽然同样悠久而宏大，但都难以摆脱灭亡的命运。

在“轴心时代”的东方，孔子在当时就已经是古典文化的集大成者。这位春秋时代的思想巨人灿烂的光辉在两千五百年间不曾有过半刻熄灭，并且从山东诸国逐渐散步到整个中华大地、东亚，甚至是世界的各个角落。孔子虽然在公元前 479 年去世，但是由于后人记载了他和他弟子的言行，编订成《论语》等书，使得人们能不断在孔子这棵常青树下撷取智慧的花瓣。尤其是《论语》一书，更是历代传颂不息的经典，即便是没有接触过原书的人，也知道诸如“见义勇为”、“温故知新”、“不耻下问”、“任重道远”

祷尼山图

等出自《论语》的典故和成语。它的许多精华早已融入每一个海内外炎黄子孙的血液当中。孔子的谆谆教诲并没有随着时间飘逝，而是根植在我们心中，时时刻刻规范着我们的言行。用梁启超的话说，《论语》和《孟子》、《大学》、《中庸》组成的“四书”已经是中国人“一般常识之基础，国民心理之总关键”。

二

那么，《论语》又是本什么样的书呢？东汉伟大的史学家班固在《汉书·艺文志》中介绍说：“《论语》者，孔子应答弟子、时人及弟子相与言而接闻于夫子之语也。当时弟子各有所记，夫子既卒，门人相与辑而论纂，故谓之‘论语’。”

班固这段话的一般理解为：“论”是编纂成册的意思，“语”则可以理解为对话和语录，所以“论语”篇题的字面意思应该就是对孔子及其弟子话语的编纂。我们知道，孔门师生的对话常常被记录在弟子们的笔端或心中，比如弟子子张向孔子问“行”，孔子说“言忠信，行笃敬”，然后子张把这话写在衣带上。相传孔子有弟子三千，其中贤者七十二人，这些弟子应该都记录过孔子的言论，等到孔子去世的时候，弟子们就把这些记着的话集合编纂起来，成为我们今天见到的《论语》的雏形。

《礼记·坊记》中引用了《论语》“三年无改于父之道，可谓孝矣”，《坊记》被认为与孔子的孙子子思有关，可见大概子思尚在的战国时代，应该已经有《论语》这部书存在了。

总之，《论语》基本可以算作是记述者对孔门言行的实录，是孔子生平与思想的最为可信的重要文献。

三

《论语》一书文字虽然不多，但它最为集中、最原原本本地体现了孔子的政治主张、伦理思想、道德观念和教育原则。在汉初孝文帝时期，官方就已经设立了“《论语》博士”，也就是起用学者来教导贵族子弟学习《论语》，同时将《论语》一书作为政治上治国的顾问。王国维认为那个时候《论语》已经是相当流行的童蒙教材了，几乎人人都要修习。有意思的是，即便是女性也未能例外：东汉和帝的邓皇后十二岁娴习《论语》，汉章帝的梁皇后九岁就能背诵《论语》。

当时《论语》有《鲁论》、《齐论》和《古论》三种版本，它

们之间有不少文字上和理解上的差异。西汉末年，汉成帝的老师张禹综合前两种版本编订成的新的本子——《张侯论》，在汉代最为通行。官方还依据《张侯论》，将《论语》经文刻在石碑上，这是当时多数学生学习《论语》最主要的文献依据。

魏晋南北朝时期开始，随着尊孔和祭孔受到各个政权的重视，《论语》一书更受推崇，对该书的解说也更多、更饶有趣味。例如何晏《论语集解》一书，集合了许多汉魏学者的注释，成为后来学者学习和研读《论语》的基础。宋代之后，《论语》得到进一步重视，宋代开国宰相赵普不喜欢读书，但晚年对《论语》手不释卷，于是被后人传为“半部《论语》治天下”。南宋大儒朱熹穷尽一生编订的《论语集注》更是成为元明清三代中国科举考试的内容，也是那时朝鲜、日本等国学子必修的教材。十六世纪末，《论语》传入欧洲，并逐渐传播到了世界各地，成为中国文化的重要象征。可见《论语》一书作为中国学脉所系，两千多年来没有半刻中断过。

四

正因为《论语》的流行不衰，对这部书的注解、翻译大概需要以千百计，其方式、风格也是五花八门。以笔者有限的精力不可能一一穷尽，所以有必要以更加贴近又不失全面的方式向读者介绍《论语》。

一般我们认为古代哲学经典往往距离我们很远。作为人类历史上最伟大的哲人之一，孔子确实有着渊博的知识和深邃的思想，但是《论语》一书中的哲理和道德对于今天的我们来说仍非常温和亲近，仿佛并没有那么深奥和难以捉摸。它或许存于孔子和弟子“各言而志”的闲谈中，或许存乎“杀鸡焉用牛刀”的戏谑中，更带着“浴乎沂，风乎舞雩，咏而归”的诗情画意。加上篇幅短小，使得我们觉得孔子和他深邃的哲理并没有高高在上，而是亲近得让我们心向往之，很容易在学生心中播下道德和智慧的种子，所以在译注的时候尽量简洁明了，让学生自己吟咏和品味。此外，本书在“注释”和“译文”之外，还附上了“文史链接”一栏，以扩大学生的知识面，帮助学生进一步深入体会和亲近孔子。

尽管《论语》相对浅显亲切，但确实涉及很多复杂的问题，不容我们回避。从西汉开始，众多学者对《论语》的分篇、分章、校勘、注解都有着不小的差异；此外，也要认识到该书是先秦时期的著作，其中的字词、句法、文意都和我们今天的语言不大一样，造成一定的理解障碍和偏失。有鉴于此，我们以《十三经注疏》本何晏《论语集解》为底本，参考一些有重要价值的《论语》学著作，如宋代朱熹的《论语集注》、清代刘宝楠的《论语正义》以及今人程树德的《论语集释》、杨树达的《论语疏证》、钱穆的《论语新解》、杨伯峻的《论语译注》、毛子水的《论语今注今译》、潘重规的《论语今读》、王熙元的《论语通释》、金良年的《论语译注》等书，本着博观约取的精神，对一些有分歧、有疑难的重要问题进行了斟酌和考量，以供读者参考。

学而第一

子曰[1]："学而时习之[2]，不亦说乎[3]？有朋自远方来，不亦乐乎？人不知而不愠[4]，不亦君子乎[5]？"(1.1)

注释

[1]子：古时对男子的尊称。《论语》中"子曰"的"子"都指孔子。 [2]时：按时，时常。习：温习。 [3]说：同"悦"。 [4]愠(yùn)：怨。 [5]君子：《论语》中有两种用法，或指在位者，或指有德者。这里指后者。

译文

孔子说："学了并按时温习，不也很愉悦吗？有志同道合的人从远方来，不也很快乐吗？别人不了解自己而并无怨恨，不也是一位君子吗？"

有子曰[1]："其为人也孝弟[2]，而好犯上者，鲜矣[3]。不好犯上，而好作乱者，未之有也。君子务本[4]，本立而道生。孝弟也者，其为仁之本与[5]？"(1.2)

注释

[1]有子：孔子弟子有若。《论语》记载孔子的学生多称字，独曾参、有若称子（冉有、闵子骞偶称子）。 [2]孝弟：善事父母称孝，善事兄长称悌。弟，同“悌”。 [3]鲜（xiǎn）：少。[4]务：致力。 [5]为仁之本：孝悌是仁道的根本。或说“仁”通“人”，为仁即为人，与上文“其为人也”句相应，意为孝悌是做人的根本。与：表疑问与推测的语气词。

译文

有子说：“一个人孝顺父母、敬爱兄长，却喜欢触犯长上，这是很少见的。不触犯长上，却喜欢做悖理乱常的事，这是从未有过的。君子专心致力于根本，根本既立，道自然而生。孝顺父母、敬爱兄长，这是仁道的根本吧？”

子曰：“巧言令色[1]，鲜矣仁。”（1.3）

注释

[1]巧言：巧饰言语。令色：伪装善貌。巧、令都有美善之意。

译文

孔子说：“花言巧语，伪装善貌，这样的人很少有仁德。”

曾子曰[1]：“吾日三省吾身[2]：为人谋而不忠乎？与朋友交而不信乎[3]？传不习乎？”（1.4）

注释

[1]曾子：孔子弟子曾参，字子舆。　[2]三省：三，虚数，古人常举三以见其多。省，反省。杨伯峻《论语译注》以为这里“三省”与下文所列的三事只是偶合，若“三”字指以下三事，依《论语》的句法应为“吾日省者三”，与“君子道者三”（《宪问第十四》14.28）同。　[3]忠、信：朱熹《论语集注》：“尽己之谓忠，以实之谓信。”

译文

曾子说：“我每天多次反省自己：为别人办事有没有尽己所能？同朋友交往有没有以诚相待？老师传授的学业有没有温习？”

子曰：“道千乘之国[1]，敬事而信，节用而爱人，使民以时[2]。”（1.5）

注释

[1]道：治理。乘（shèng）：古代兵车，一车四马为一乘。[2]以时：按时，这里指不违农时。

译文

孔子说：“治理一个有千辆战车的诸侯国，处理政务严肃谨慎，号令言而有信，财用节制有度，并且爱恤百姓，征用民力宜在农闲时。”

子曰：“弟子入则孝[1]，出则弟，谨而信[2]，泛

爱众，而亲仁[3]。行有余力，则以学文[4]。”（1.6）

注释

[1] 弟子：相对于父兄而言，指年幼的人。　[2] 谨、信：朱熹《论语集注》认为谨是“行之有常”，信是“言之有实”，谨、信分指言、行。杨树达《论语疏证》认为谨是寡言的意思，谨、信都是就言语而论。　[3] 仁：指仁人。　[4] 文：典籍文献，指《诗》、《书》等六艺之文。

译文

孔子说：“弟子在家要孝顺父母，外出要敬爱长上。行为谨慎，言语诚实，关爱众人而亲近有仁德的人。实践这些以后还有余力，就去学习书上的知识。”

子夏曰[1]：“贤贤易色[2]，事父母能竭其力，事君能致其身[3]，与朋友交言而有信。虽曰未学，吾必谓之学矣。”（1.7）

注释

[1] 子夏：孔子弟子卜商，字子夏。　[2] 贤贤易色：尊崇贤德而轻视女色。第一个“贤”是动词，尊崇。第二个“贤”是名词。易，轻视。或说此句意为以尊贤之心改易好色之心。有旧注说这句话专指夫妻间关系，与下文相连，四句分别对应夫妇、父子、君臣、朋友四伦。　[3] 致：《说文》：“致，送诣也。”这里指献出。

译文

子夏说："崇尚贤德而轻视女色，侍奉父母能尽心竭力，效忠君主能舍身献命，与朋友相处言而有信。这样的人，虽说没学过什么，我也必定说他学过了。"

子曰："君子不重则不威，学则不固[1]，主忠信[2]，无友不如己者[3]，过则勿惮改[4]。"（1.8）

注释

[1] 固：有两种解释。一说坚固，与上句相连，意为人不敦重则无威严，所学亦不坚固。一说固陋，四字自成一句，意为人能向学则免于固陋，五句分指五件事。　[2] 主忠信：一说忠信指品行，君子行事当以忠信为主要准则。一说忠信指人。主，亲近。君子应主动亲近忠信之人。　[3] 无友不如己者：无，通"毋"，禁止。如《颜渊第十二》曾子所言君子"以友辅仁"（12.24），与不如己者为友，有损而无益。或说如，类也。不与不同类的人为友，与《卫灵公第十五》孔子所言"道不同，不相为谋"（15.40）意相通。　[4] 惮（dàn）：畏难。

译文

孔子说："君子举止不庄重就没有威严，学习才能免于固陋，以忠信的品行为主，不要结交不如自己的人，犯了过错不要怕改正。"

曾子曰："慎终追远[1]，民德归厚矣。"（1.9）

注释

[1]终:死,这里指父母的丧事。追远:追思、祭祀远祖。许谦《读四书丛说》:“常人之情,于亲之终,悲痛之情切,而戒慎之心或不及;亲远而祭,恭敬之心胜,而思慕之情或疏。”

译文

曾子说:“敬慎地办理父母的丧事,虔诚地追思远去的先祖,民风自然就能趋于淳厚。”

子禽问于子贡曰[1]:“夫子至于是邦也,必闻其政,求之与?抑与之与?”子贡曰:“夫子温、良、恭、俭、让以得之[2]。夫子之求之也,其诸异乎人之求之与[3]?”(1.10)

注释

[1]子禽:陈亢,字子禽。郑玄在《论语》及《礼记·檀弓》注中都说他是孔子的弟子。或说是孔子弟子原亢禽。子贡:孔子弟子,姓端木,名赐,字子贡。 [2]俭:节俭。或说约束。[3]其诸:或者,莫非。表示不肯定的语气。

译文

子禽问子贡说:“夫子每到一个国家必能与闻他们的政事,是夫子求问得来,还是别人主动向他请教呢?”子贡说:“夫子温和、平易、庄敬、节制、谦逊,因而得以与闻一个国家的政事。夫子得知的方法,大概与别人求得的方法不同吧?”

子曰：“父在，观其志[1]。父没，观其行。三年无改于父之道，可谓孝矣。”（1.11）

注释

[1]其：代指儿子。父亲在世时，儿子的言行不得自专，只能观其志而推知其人；父亲过世后，则可以考察他的行为。或说代指父亲。父亲在世时，儿子应该观察父亲的志向，以便有所顺承；父亲过世后，儿子应该考察父亲的遗行，以求有所继述。

译文

孔子说：“父亲在世时观察儿子的志向，父亲去世后考察儿子的行为。若是三年没有改变父亲的善道，可以说他已经尽到孝心了。”

有子曰：“礼之用，和为贵[1]，先王之道斯为美[2]，小大由之[3]。有所不行，知和而和，不以礼节之，亦不可行也。”（1.12）

注释

[1]和：调和，适中。《中庸》：“喜怒哀乐之未发谓之中，发而皆中节谓之和。”杨树达《论语疏证》：“事之中节者皆谓之和，不独喜怒哀乐之发一事也。《说文》云：龢（hé），调也。盉（hé），调味也。乐调谓之龢，味调谓之盉，事之调适者谓之和，其义一也。和今言适合，言恰当，言恰到好处。礼之为用固在乎适合，然若专求适合，而不以礼为之节，则终日舍己徇人，而亦不可行矣。”

[2]斯：此，这。　[3]由：依循。

译文

有子说："礼的作用，以调和为贵，古代明君治天下以此为美，事无大小，都可以依循这个原则处理。也有处理得不可行的情况，知道和的可贵而一意求和，不用礼加以节制，也是不可行的。"

有子曰："信近于义，言可复也[1]。恭近于礼，远耻辱也。因不失其亲[2]，亦可宗也[3]。"（1.13）

注释

[1]复：践行。 [2]因：亲近，依靠。 [3]宗：尊崇。

译文

有子说："许下的承诺合于义，诺言才可能践行。待人恭敬而合于礼，才能远离侮辱。依靠的是他该亲近的人，这样的人值得尊崇。"

子曰："君子食无求饱，居无求安，敏于事而慎于言，就有道而正焉，可谓好学也已[1]。"（1.14）

注释

[1]"君子"五句：朱熹《论语集注》："不求安饱者，志有在而不暇及也。敏于事者，勉其所不足。慎于言者，不敢尽其所有余也。然犹不敢自是，而必就有道之人，以正其是非，则可谓好学矣。"有道，指有道之人。

铭金人图

译文

孔子说："君子对饮食不求饱足，对居所不求安适，行事勤敏而言语谨慎，向修养高的人请教以求匡正自己的品行。做到这样，就称得上好学了。"

子贡曰："贫而无谄，富而无骄，何如？"子曰："可也。未若贫而乐，富而好礼者也[1]。"子贡曰："《诗》云：'如切如磋，如琢如磨[2]。'其斯之谓与？"子曰："赐也，始可与言《诗》已矣，告诸往而知来者。"（1.15）

注释

[1]"未若"二句：有本作"贫而乐道"，与"富而好礼"相对成文。朱熹《论语集注》："常人溺于贫富之中，而不知所以自守，故必有二者之病。无谄无骄，则知自守矣，而未能超乎贫富之外也。凡曰可者，仅可而有所未尽之辞也。乐则心广体胖而忘其贫，好礼则安处善，乐循理，亦不自知其富矣。子贡货殖，盖先贫后富，而尝用力于自守者，故以此为问。而夫子答之如此，盖许其所已能，而勉其所未至也。" [2]"如切如磋"二句：出自《诗经·卫风·淇奥》。切、磋、琢、磨分别指加工骨、象牙、玉、石，以成宝器。子贡用这两句诗表达了他对孔子精益求精要求的领悟。

译文

子贡问："贫穷而不献媚，富贵而不骄横，怎么样？"孔子说："大致可以。但不如贫穷而乐道，富贵而好礼。"子贡说："《诗》中说：'反复不断地切磋，反复不断地琢磨。'说的就是这个意思吧？"孔子说：

"赐，现在可以和你谈《诗》了，你能从我说过的话中领悟到我没说的道理。"

子曰："不患人之不己知[1]，患不知人也。"（1.16）

注释

[1] 患：担心。

译文

孔子说："不担心别人不了解我，只担心我不了解别人。"

文史链接

孔子的生平（一）

鲁襄公二十二年（前 551），孔子在鲁昌平乡陬邑出生。孔子的先世是宋国贵族，为避乱而迁居鲁国。孔子幼时家道已衰落，三岁那年，他的父亲去世；十七岁那年，他的母亲也走了。孔子年少时的生活并不顺利。

孔子像

《史记·孔子世家》说他从小以礼为嬉，常常摆上祭祀用的架子和盘碟，模仿大人的样子行礼。后来，孔子以知礼闻名，许多人慕名向他求教。但他对待礼的态度仍是谨慎而谦虚的，进了祭祀周公的太庙，看到每件事都要问明道理。有人嘲讽他徒有虚名，他说："这正是礼。"

当时社会上有一类专门操办婚丧祭祀仪节的人，称为“儒”，这些人以礼为职业，精通礼仪，孔子与他们不同。孔子发自内心地向往这套周初创制的礼，他说：“郁郁乎文哉！吾从周。”周便是指周礼。孔子生活在周礼崩坏的春秋末年，维护这套礼制成了他毕生的志业。他要求“克己复礼”，把原本外在的礼仪联系到个人的内在修养，并用自己的方式来解说礼的细节和内涵。孔子为了推行他的学说奔波一生。

孔子日后的成就与他少年时代的好学分不开，他用“十有五而志于学”来概括自己人生的第一阶段。“学”并不单指学习典籍上的知识，作为君子应该具备的六种才能——礼节、音乐、射箭、驾车、识字和计算，孔子也都修习过。但这些似乎不能提高他的社会地位，由于家贫，据说他当过主管仓库的委吏，也做过养牛放羊的乘田。在当时，从事具体技艺的职业并不受人尊重，所以孔子说“吾少也贱，故多能鄙事”。君子则向往“以道事君”，以品德修养而不是以技艺为自己谋一个安身立命的位置。孔子回忆起这段岁月时说“吾不试，故艺”，艺指多技艺，这是不得从政的结果。“君子多乎哉？不多也”，这是说君子不必多能，也不以多能为事。这两句话大概透露出孔子年轻时的一点无奈。

思考讨论

《论语》共有多少篇？每篇都是以什么方式来命名的？

为政第二

子曰："为政以德，譬如北辰[1]，居其所而众星共之[2]。"（2.1）

注释

[1] 北辰：北极星。 [2] 共：同"拱"，环绕。这里有共尊的意思。

译文

孔子说："以德治国，就像北极星，处在固定的方位上而群星都环绕着它。"

子曰："《诗》三百[1]，一言以蔽之[2]，曰：'思无邪[3]。'"（2.2）

注释

[1]《诗》三百：《诗经》三百零五篇，"三百"举其整数，《诗经》也因此通称《诗三百》。 [2] 蔽：概括。 [3] 思无邪：出自《诗经·鲁颂·駉》。在原诗中，"思"是句首语助词，无义；在这里当思想解。言《诗经》的要旨在去恶从善，使人性情归于纯正。

译文

孔子说:“《诗经》三百篇,用一句话来概括它的用意,就是‘思无邪’。”

子曰:“道之以政[1],齐之以刑,民免而无耻[2]。道之以德,齐之以礼,有耻且格[3]。”(2.3)

注释

[1]道:同“导”,引导。　[2]免:避免,这里指免于获罪。[3]格:一说至,指人心至于善。一说正,指人心归于正道。或说与《礼记·缁衣》“夫民,教之以德,齐之以礼,则民有格心;教之以政,齐之以刑,则民有遁心”意同。“格心”与“遁心”相对,格即归服。

译文

孔子说:“用政令来引导人民,用刑罚来整治人民,百姓只求免于获罪,却没有羞耻之心。用道德来引导人民,用礼教来整治人民,百姓不但有羞耻心,而且能趋向善道。”

子曰:“吾十有五而志于学[1],三十而立,四十而不惑,五十而知天命,六十而耳顺,七十而从心所欲,不逾矩[2]。”(2.4)

注释

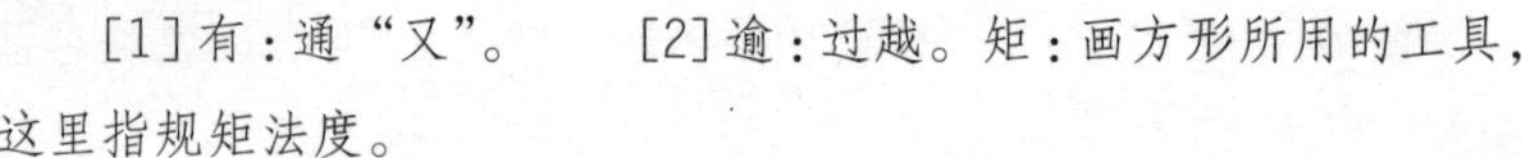

[1]有：通“又”。　　[2]逾：过越。矩：画方形所用的工具，这里指规矩法度。

译文

孔子说：“我十五岁立志学习，三十岁自立，四十岁不再迷惑，五十岁领悟天命，六十岁听到或顺或逆的言论都能融会于心，七十岁言行随心所欲，也不会逾越规矩。”

孟懿子问孝[1]。子曰：“无违[2]。”樊迟御[3]，子告之曰：“孟孙问孝于我，我对曰，无违。”樊迟曰：“何谓也？”子曰：“生，事之以礼[4]。死，葬之以礼，祭之以礼。”（2.5）

注释

[1]孟懿子：即下文中的孟孙，鲁国大夫，仲孙氏，名何忌，懿是谥号。孟懿子的父亲是孟僖子，《左传》昭公七年记载，孟僖子临终时命儿子向孔子学礼。　　[2]无违：指不要违礼。[3]樊迟：孔子弟子樊须，字子迟。　　[4]事之以礼：旧说孟氏僭礼，孔子以无违于礼警示他。

译文

孟懿子向孔子请教孝道。孔子说：“不要违背礼。”樊迟为孔子驾车，孔子对他说：“孟孙问我什么是孝，我回答他，不要违背

礼。”樊迟问："这是什么意思？”孔子说："父母在世时，遵照一定的礼制侍奉他们。父母去世了，遵照一定的礼制埋葬他们，遵照一定的礼制祭祀他们。”

孟武伯问孝[1]。子曰："父母唯其疾之忧[2]。”(2.6)

注释

[1]孟武伯：孟懿子之子，名彘，武是谥号。 [2]父母唯其疾之忧："其”是第三人称表示领属性的指称词，相当于“他的”、“他们的”，这里指代对象不明确。或说“其”指父母，意为子女以担忧父母的疾病为孝。或说“其”指子女，又有两种解释。一说孝子不为非，唯有疾病使父母担忧。一说父母常担忧子女有疾病，子女能体察此心，注意身体，即是孝。

译文

孟武伯向孔子请教孝道。孔子说："父母只为孝子的疾病担忧。”

子游问孝[1]。子曰："今之孝者，是谓能养。至于犬马，皆能有养[2]。不敬，何以别乎？”(2.7)

注释

[1]子游：孔子弟子言偃，字子游。 [2]养：指饮食供奉。

译文

子游向孔子请教孝道。孔子说："现在所说的孝只是能供养。

至于犬马，都有人在喂养。不以恭敬之心侍奉父母，还能用什么来区别两者呢？”

子夏问孝。子曰：“色难[1]。有事，弟子服其劳，有酒食，先生馔[2]，曾是以为孝乎[3]？”（2.8）

注释

[1] 色难：子女侍奉父母时，难在和颜悦色。《礼记·祭义》：“孝子之有深爱者必有和气，有和气者必有愉色，有愉色者必有婉容。”色，脸色。　[2] 先生：指长辈。馔（zhuàn）：吃喝。　[3] 曾：副词，竟。

译文

子夏向孔子请教孝道。孔子说：“侍奉父母，难在和颜悦色。有事时年轻人为长辈代劳，有酒食时请长辈先吃，这就算是孝了吗？”

子曰：“吾与回言终日[1]，不违如愚[2]。退而省其私[3]，亦足以发，回也不愚。”（2.9）

注释

[1] 回：孔子弟子颜回，字子渊。　[2] 不违：指不发问，不反驳。　[3] 退而省其私：一说孔子考察颜回私下的言行。一说颜回退下后依照老师的教诲，反省自己的言行。私，单独的。

译文

孔子说："我跟颜回说一天话，他都不会提出相反的意见，像个愚笨的人。退下来，我观察他私下的言行，的确能发挥我平日所说，颜回其实并不愚笨。"

子曰："视其所以，观其所由，察其所安[1]。人焉廋哉[2]？人焉廋哉？"（2.10）

注释

[1] 视、观、察：潘重规《论语今注》："《说文》：'视，瞻也。'《谷梁传》隐公五年：'常事曰视，非常曰观。'《尔雅·释诂》：'察，审也。'视、观、察三字虽同是看的意思，却有深浅粗细的不同。视是从大体看，观是从小节看，察是从细微处看……此三句是说，从大体处看他所做的事，从小节处看他做这事的方法，从心理上看他情之所安。"以：为，指其人所为之事。由：经由，指行为经由的途径，采用的方法。安：朱熹《论语集注》："安，所乐也。所由虽善，而心之所乐者不在于是，则亦伪耳，岂能久而不变哉？"

[2] 廋（sōu）：藏匿。

译文

孔子说："先看他做了什么事，再看他如何做这件事，进而看他做这件事是否安心乐意。这样观察一个人，他还怎么隐藏自己？他还怎么隐藏自己？"

子曰："温故而知新，可以为师矣。"（2.11）

译文

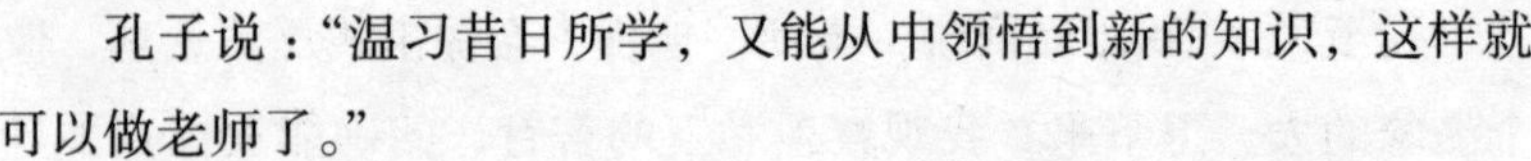

孔子说："温习昔日所学，又能从中领悟到新的知识，这样就可以做老师了。"

子曰："君子不器[1]。"（2.12）

注释

[1] 器：器皿。朱熹《论语集注》："器者，各适其用而不能相通。"徐英《论语会笺》："器者，拘于一用，譬如耳、目、口、鼻不能相通。故君子之学，不可拘于一器，必求其才之通、识之达，然后可以用周于天下矣。"

译文

孔子说："君子不能像一个器皿，只限于一种用途。"

子贡问君子。子曰："先行其言而后从之。"（2.13）

译文

子贡问孔子怎样做能称得上是君子。孔子说："先实行你想说的话，等实行了，再把话说出来。"

子曰："君子周而不比[1]，小人比而不周。"（2.14）

注释

[1] 周、比（bì）：据王引之《经义述闻》，这两个字都有亲近、

相合的意思，不同处在于义利之别："以义合者周也，以利合者比也。"周是指以义与人相合，无所偏私；比是指因利与人相亲，勾结朋党。

译文

孔子说："君子博爱而不偏私，小人偏私而不博爱。"

子曰："学而不思则罔[1]，思而不学则殆[2]。"（2.15）

注释

[1]罔：迷惘。　　[2]殆：疑惑。

译文

孔子说："学习而不思考，就会迷惘无知。思考而不学习，就会疑惑不解。"

子曰："攻乎异端，斯害也已[1]。"（2.16）

注释

[1]"攻乎异端"二句：主要有三种解释。一、学习钻研荒谬邪僻的学说，是有害的。攻，治也，指专攻、专治某件事。异端，指荒谬的学说。也已，句末语词，表示肯定。二、批判那些荒谬的学说，祸害就可以消灭了。《论语》中"攻"共出现四次，其他三次如"小子鸣鼓而攻之"的"攻"都作"攻击"解，这里也不例外。也，表示停顿。已，停止。三、"异端"非特指某些学说。"端"同"我

叩其两端而竭焉”的“端”，两端指事物的两头，这句话是告诫人们勿固持己见，坚执其一而攻击另一端。

译文

孔子说：“（对于事物的道理，执著于某一端）攻击批判与自己持论不同的另一端，是有害的。”

子曰：“由[1]，诲汝知之乎！知之为知之，不知为不知，是知也[2]。”（2.17）

注释

[1]由：孔子弟子仲由，字子路。　[2]“知之”三句：前四个“知”意为知道。第五个“知”指求知的方法；或说同“智”，智慧。

译文

孔子说：“由，我教你怎样求知吧！知道就是知道，不知道就是不知道，这才是求知之道啊。”

子张学干禄[1]。子曰：“多闻阙疑，慎言其余，则寡尤[2]。多见阙殆[3]，慎行其余，则寡悔。言寡尤，行寡悔，禄在其中矣。”（2.18）

注释

[1]子张：孔子弟子，姓颛孙，名师，字子张。干禄：谋求官

职。干，求。禄，古代官员的俸给。 [2]尤：过失。 [3]殆：疑惑。与"疑"为互文。

译文

子张向孔子请教求官得禄的方法。孔子说："多听，对有怀疑的保持缄默，其余的也要谨慎地表述，这样才能减少过失。多看，对有怀疑的置之一旁，其余的也要谨慎行事，这样才能减少懊悔。说话少过失，做事少后悔，官职俸禄就在其中了。"

哀公问曰[1]："何为则民服？"孔子对曰[2]："举直错诸枉[3]，则民服。举枉错诸直，则民不服。"（2.19）

注释

[1]哀公：鲁国国君，姓姬，名蒋，哀是谥号。 [2]对曰：《论语》中凡回答君主的询问都用"对曰"。 [3]举直错诸枉：举用正直的人，安置在邪枉的人之上。错，通"措"，放置。诸，"之于"的合音。

译文

鲁哀公问孔子："怎样才能让百姓心悦诚服呢？"孔子回答说："如果举用正直的人，安置在邪枉的人之上，民心就服。如果举用奸邪的小人，安置在正人君子之上，民心就不服。"

季康子问[1]："使民敬忠以劝[2]，如之何？"

子曰："临之以庄则敬，孝慈则忠，举善而教不能则劝。"（2.20）

注释

[1] 季康子：鲁大夫季孙肥，康是谥号。　[2] 以：连词，相当于"和"。劝：劝勉，勉励。

译文

季康子问孔子："要使百姓恭敬、尽心，并且能互相勉励，应该怎么办？"孔子说："如果你能以庄重的态度对待百姓，百姓自然敬仰你。你能孝顺父母、慈爱幼小，百姓自然为你尽心竭力。你能举用有善行的人，并教导能力不足的人，百姓自然会相互劝勉。"

或问孔子曰："子奚不为政？"子曰："《书》云[1]：'孝乎惟孝，友于兄弟，施于有政[2]。'是亦为政，奚其为为政？"（2.21）

注释

[1]《书》：指《尚书》。"孝乎惟孝，友于兄弟，施于有政"为逸文，后人采入伪托的《伪古文尚书·君陈篇》。　[2] 施：施行。有：语助词，无义。

译文

有人问孔子："您为什么不从事政治呢？"孔子说："《尚书》

上说：‘孝啊，孝顺父母，友爱兄弟，以此推至政治。’这也是从政，何必身居官位才算从政呢？”

子曰：“人而无信，不知其可也。大车无輗，小车无軏[1]，其何以行之哉？”（2.22）

注释

[1]輗（ní）、軏（yuè）：古代大车指牛车，小车指马车。车旁有两条长杠，称辕。车辕前有一道驾牲口的横木，称衡。横木两头凿有圆孔，用木销钉插入圆孔以连接辕和衡。輗和軏分别是大车和小车的木销钉，是车子行动的关键。

译文

孔子说：“作为一个人却不讲信用，不知这样怎么可以。就像大车没有輗、小车没有軏，车还怎么走呢？”

子张问：“十世可知也[1]？”子曰：“殷因于夏礼[2]，所损益[3]，可知也。周因于殷礼，所损益，可知也。其或继周者，虽百世，可知也。”（2.23）

注释

[1]世：古称三十年为一世。也有旧注说一个朝代为一世。[2]因：沿用，继承。　　[3]损益：减少和增加。

译文

子张问："十世之后的事可以预先知道吗？"孔子说："殷代沿袭夏代的礼制，其中或减损或增益的部分，是可以知道的。周代沿袭殷代的礼制，其中或减损或增益的部分，也是可以知道的。将来若有朝代继承周代，即使是之后一百世，也是可以预先知道的。"

子曰："非其鬼而祭之[1]，谄也[2]。见义不为，无勇也。"（2.24）

注释

[1]非其鬼：不该祭祀的鬼。古代人死称鬼，可指自己的先祖，也可泛指一般鬼神。 [2]谄：求媚。

译文

孔子说："不该祭祀的鬼神却去祭祀，这是谄媚。见到该做的事不做，这是没有勇气。"

文史链接

"而立之年"与"不惑之年"

子曰："吾十有五而志于学，三十而立，四十而不惑，五十而知天命，六十而耳顺，七十而从心所欲，不逾矩。"

这段话被明代理学家李贽称为"孔子年谱，后人心诀"，古往今来无数读书人对其中的境界心向往之。"而立之年"与"不惑之年"就出自这里。"而立之年"代指三十岁，是说人到了这个年纪就该懂得礼节与规矩，言行得当，能在社会上立足。“不惑之年”代指四十岁，这时一个人的思想已经成熟，对外界种种变化心里都有丈量的尺度，深明究竟，不再起疑惑。

夏、商、周

现今所知，我国最早有文字记录的时代是商代，略当于公元前十七世纪到公元前十一世纪。商代经历了数次迁都之后定都于殷，所以又叫殷商。殷在今天的河南安阳一带，二十世纪初，殷都遗址殷墟被发现和发掘，出土了大批的铜器、陶器、石器以及刻有文字的龟甲和兽骨。古书上说“商人尚鬼”，这些甲骨便是当时人占卜（探问鬼神旨意、预测未来凶吉）的工具，上面的文字也大多是卜辞。从这些文字中我们可以知道，商人问卜的大致内容或关于祭祀，或

龟甲占卜铭文

关于气象，或关于出行，或关于日常生活。比如他们会在打仗前询问鬼神征伐能否顺利，也会在生病后询问鬼神什么时候能痊愈。商人在生活中每遇到犹豫与疑问，都选择听命于龟壳和牛骨背后的鬼神世界。而这些记载着商人占卜活动的文字便是我国迄今发现的最早的较成体系的文字——甲骨文。

学者们通过释读甲骨文，整理出了甲骨文书中所见的一条商朝先公先王世系——商自建国到灭亡，历六百余年，传三十一王。这与我国传世典籍中的记载几乎完全相同。因为时代久远，此前有不少学者认为史籍中商代的帝系并不可靠，甲骨文书的出土基本消除了这些疑虑。

史书中早于商的夏代，考古上至今没有发掘出确属于它的遗址。但提供给后人商代完整帝系的史书，也就是我国第一部通史——司马迁的《史记》，同样为我们勾勒出了夏代的帝王谱系以及重大史事。按照典籍中记载，夏朝约处于公元前二十一世纪至十七世纪，历四百余年，共传十七王。夏王室是大禹的后代，夏朝是我国史籍中记载的第一个世袭王朝。

夏朝王位传到桀时被成汤所率领的商人所灭，商朝王位传到纣时也被覆灭了，取而代之的是周。

在商朝最末的百余年间，渭水流域兴起了一个强国，号为周。它本是商朝的诸侯之一，商王曾命周部族的首领为“西伯”，也就是西方诸侯之长。这个部族擅长农业，勤奋图存，势力日益壮大，而它所听命的商则渐渐衰落了。终于，周的首领武王召集了其他诸侯共同讨伐昏庸无道的商纣王，在牧野之战中一举灭商，建立了周朝。商灭夏的经历在性质上与此相类，夏、商、周三朝的更迭，其实是代表着三个部族的迁徙、发展和彼此间的碰撞与融合。

周武王攻陷了殷都，他把这块地方分封给了商纣王的儿子，让他治理殷商遗民，号为宋；并派自己的两个兄弟去协助——也就是监视他们。夏王室的后裔也得到了封地，号为杞。除此之外，武王以及之后的成王、康王，不断地把自己的兄弟、姻亲和功臣分封于外，建立新国。被分封者号为诸侯，他们世世代代拥有自己的国家，治理自己的人民，同时共同听命于周王。周王朝以这样的分封制，统治着中原华夏近八百年之久。

思考讨论

谈谈你对学与思的关系的认识。

八佾第三

孔子谓季氏[1]："八佾舞于庭[2]，是可忍也[3]，孰不可忍也？"（3.1）

注释

[1]季氏：鲁大夫季孙氏。　　[2]八佾（yì）舞于庭：佾，宗庙礼乐中的舞列，八人为一列。天子八佾，诸侯六，卿大夫四，士二。八佾有八八六十四人。鲁周公有功劳于天下，周成王以天子礼乐赐周公，所以鲁国在宗庙中祭周公可以用八佾。庭，堂前的空地，这里指季氏家庙中的庭。季氏在家庙中应用四佾三十二人，用八佾是僭礼。　　[3]忍：忍心。这样的事季氏都忍心做，还有什么事他不忍心做。当时季氏权重，鲁国君弱，孔子此言或是"宽弱主，罪逆臣"之意。或说忍，容忍。这样的事都能容忍，还有什么事不能容忍。

译文

孔子说到季氏："他用八列六十四人的规模在庭前起舞，这样的事都忍心做，还有什么事他不忍心做？"

三家者以《雍》彻[1]。子曰："'相维辟公，天

子穆穆’[2]，奚取于三家之堂？”（3.2）

注释

[1]三家：指鲁国当权的三卿，即孟孙、叔孙、季孙。《雍》：《诗经·周颂》中的一篇，《诗经》在当时都可以配乐而歌。彻：指祭后撤去祭祀用的俎（放牲口的架子）和豆笾（木制或竹编的食器）。天子祭于宗庙，撤祭器时歌《雍》。 [2]“相（xiàng）维辟公”二句：出自《雍》篇。相，助祭者。维，语助词，无义。辟公，一说指同姓诸侯和夏、殷二王之后（杞、宋两国国君），一说指诸侯和公卿。穆穆，庄敬的样子，指天子容色。《雍》描述的是天子举行祭礼时的情况，三家祭祖的情景与这两句诗意不合，孔子暗指其僭越礼制。

译文

孟孙、叔孙、季孙三卿祭祖完毕，奏唱天子祭宗庙时用的《雍》诗撤去祭器。孔子说：“《雍》诗言‘诸侯公卿助祭，天子庄严主祭’，这样两句诗用在三家祭祖的庙堂里，取用什么意义呢？”

子曰：“人而不仁，如礼何？人而不仁，如乐何[1]？”（3.3）

注释

[1]如礼何、如乐何：潘重规《论语今注》：“如礼何，犹言奈礼何。人若失去内心的仁，尽管礼仪娴习，玉帛齐备，有何用处呢？此礼指外表形式和行礼的器具。此乐指歌舞钟鼓。按礼乐虽是表

面的形式，却全是从真心本性流出。自心中秩然有序处表现出来的便是礼；从心中谐和乐易处流露出来的便是乐。所以《礼记·儒行篇》说：'礼节者，仁之貌也；歌乐者，仁之和也。'这几句话说明了仁是礼乐的灵魂；礼乐是仁的体貌。一个人如果失去了灵魂，尽管体貌俨然，又有什么用处呢？"

译文

孔子说："作为一个人却没有仁德，有礼仪又能如何？作为一个人却没有仁德，有音乐又能如何？"

林放问礼之本[1]。子曰："大哉问！礼，与其奢也，宁俭。丧，与其易也[2]，宁戚[3]。"（3.4）

注释

[1] 林放：鲁国人。　[2] 易：主要有两种解释。一、何晏《论语集解》引包咸注曰："易，和易也……丧，失于和易，不如哀戚。"陈鳣《论语古训》："包以为和易，意与戚相反，然世情当不至此。"认为居丧之人心情哀痛是常情，不必有此劝诫。二、朱熹《论语集注》："易，治也。《孟子》曰：'易其田畴。'在丧礼，则节文习熟而无哀痛惨怛之实者也。"即仪节周备的意思。《礼记·檀弓上》："子路曰：'吾闻诸夫子，丧礼与其哀不足而礼有余也，不若礼不足而哀有余也。'"与此义同。　[3] 戚：哀伤。

译文

林放向孔子请教礼的本质。孔子说："你的问题意义重大啊！礼仪，与其奢侈，不如质朴。丧礼，与其仪节周备，不如内心哀痛。"

子曰："夷狄之有君[1]，不如诸夏之亡也[2]。"（3.5）

注释

[1] 夷狄：泛指文化、礼制落后的国家。东方少数民族称夷，北方少数民族称狄。　[2] 诸夏：泛指文化较发达的中原各诸侯国。

译文

孔子说："文化落后的国家虽然有君主，还不及中原各国没有君主。"

季氏旅于泰山[1]，子谓冉有曰[2]："女弗能救与[3]？"对曰："不能。"子曰："呜呼！曾谓泰山不如林放乎[4]？"（3.6）

注释

[1] 旅：祭祀山川。天子祭名山大川，诸侯祭封地内的山川。季氏祭泰山是僭礼。　[2] 冉有：孔子弟子，字子有。当时是季氏的家臣。　[3] 女：通"汝"，第二人称代词，你。救：阻止。[4] 曾谓泰山不如林放乎：意谓林放尚且知礼，神灵更不会不如林放，接受季氏僭礼的祭献。泰山，此指泰山山神。

译文

季氏祭泰山，孔子对冉有说："你不能阻止吗？"冉有回答说："不能。"孔子说："唉！难道说泰山山神还不如林放知礼吗？"

子曰："君子无所争，必也射乎[1]！揖让而升，下而饮[2]，其争也君子。"（3.7）

注释

[1]射：指大射礼中比赛射箭。　[2]"揖让"二句：古代射礼，比赛的人先在堂下拱手行礼，然后登堂射箭，射毕，揖让而降，胜者请负者饮罚酒，饮酒时也需揖让。揖让，在胸前拱手行礼。升，由阶上堂。下，降堂。

译文

孔子说："君子之间没什么可争的事，如果有，一定是在比赛射箭的时候吧！比赛前互相拱手行礼而后登堂，（比赛完）作着揖走下堂，胜者谦让一番请输的人饮酒。这样谦逊有礼的比赛才是君子间的相争。"

子夏问曰："'巧笑倩兮，美目盼兮，素以为绚兮[1]。'何谓也？"子曰："绘事后素[2]。"曰："礼后乎？"子曰："起予者商也[3]！始可与言《诗》已矣！"（3.8）

注释

[1]"巧笑"三句：前两句出自《诗经·卫风·硕人》，第三句可能是逸句。倩，形容女子面容姣好。兮，句末感叹词。盼，形容女子眼波流转的样子。绚，文采。　[2]绘事后素：主要有

两种解释。一、郑玄以为绘事先布五彩，后用素色分布其间勾勒。二、朱熹《论语集注》以为“后素，后于素也”，绘事以素色为底，然后施五彩。　[3]起：何晏《论语集解》引包咸注：“孔子言子夏能发明我意，可与共言《诗》。”

译文

子夏问：“‘笑容灿烂，眼波流转，素色勾边的花纹五彩斑斓。’这是什么意思？”孔子说：“正如绘画，先用五彩上色，后用素粉勾勒。”子夏问：“是不是说礼在后？”孔子说：“善于发挥我想法的正是卜商啊！现在可以同你谈论《诗》了！”

子曰：“夏礼，吾能言之，杞不足征也[1]；殷礼，吾能言之，宋不足征也。文献不足故也[2]，足，则吾能征之矣。”（3.9）

注释

[1]征：证明。　[2]文献：文，典籍。献，贤才。或说文指文字，献指执笔记录的人，即当时的史官，文献不足是说夏商的史官没能尽职，流传下来的记录太少。

译文

孔子说：“夏代的礼制，我能说清楚，夏的后代杞国不足以为证；殷代的礼制，我能说清楚，殷的后代宋国不足以为证。这是因为杞与宋的典籍和贤人不足，如果足够，就可以取来证实我说的礼了。”

子曰："禘自既灌而往者[1]，吾不欲观之矣。"（3.10）

注释

[1] 禘（dì）：大祭。禘是天子礼，祭祀其始祖所出的帝王，又以其祖先配祭。鲁国因周公有功，可以用天子祭于宗庙的禘礼，但只限于周公的太庙。后来禘礼渐渐用于鲁国群公的宗庙，是僭礼。灌：本作"祼"，祭礼的第一个仪节。古代祭祀用"尸"代替受祭的祖先。祭礼开始时献香酒给尸。

译文

孔子说："禘礼，自祭祀的第一个仪节献酒以后，我就不想再看了。"

或问禘之说。子曰："不知也[1]。知其说者之于天下也，其如示诸斯乎[2]！"指其掌。（3.11）

注释

[1] 不知也：鲁国僭用禘礼，孔子说不知，是为鲁讳。

[2] 示诸斯：示，通"视"。意为看天下事如看掌中之物。或说通"置"，摆放。意为治理天下如同把东西放在手中把玩。斯，这。

译文

有人向孔子请教禘祭的道理。孔子说："我不知道，知道其中道理的人，看天下事就好像看掌中之物一样容易吧！"一面说，一面指着自己的手掌。

祭如在，祭神如神在。子曰："吾不与祭[1]，如不祭。"（3.12）

注释

[1] 与（yù）：参与，这里指亲自参与而不是请人代祭。

译文

祭祀祖先，要感到祖先好像真在眼前。祭祀神明，要感到神明好像真在眼前。孔子说："我若不能亲自参与祭祀，对我而言就等于没有举行祭祀。"

王孙贾问曰[1]："与其媚于奥，宁媚于灶[2]。何谓也？"子曰："不然。获罪于天，无所祷也。"（3.13）

注释

[1] 王孙贾：人名，卫国大夫。 [2]"与其"二句：这句话或是当时的俗语。奥，在房屋的西南角，室中最尊之处，为尊长或神主所居。灶，这里指灶神。有旧注说这里以"奥"喻近臣，虽近君为尊，然于人无益。"灶"喻执政之臣，位卑而权重。王孙贾以"灶"自比，暗示孔子应该奉承自己。

译文

王孙贾问："与其求媚于里屋的神，不如求媚于厨房的灶神。这话是什么意思？"孔子说："这话不对。一个人如果得罪了上天，那就无处可以祈祷。"

子曰："周监于二代[1]，郁郁乎文哉[2]！吾从周。"（3.14）

注释

[1]监：通"鉴"，借鉴。二代：指夏、商二代。 [2]郁郁乎：文采繁盛的样子。

译文

孔子说："周取法夏商二代，文采多么丰富完备！我遵从周。"

子入太庙[1]，每事问。或曰："孰谓鄹人之子知礼乎[2]？入太庙，每事问。"子闻之，曰："是礼也[3]。"（3.15）

注释

[1]太庙：周公庙。周公是鲁国始封的国君，始封之君称太祖，太祖之庙称太庙。 [2]鄹（zōu）人之子：指孔子。鄹，鲁国城邑。鄹人指孔子的父亲叔梁纥，他曾任鄹大夫。古人常以"某人"称某地大夫。 [3]是礼也：一说是孔子自谦之辞，知而后问，敬慎之至，所以为礼。一说是时鲁君在太庙中僭用禘礼，孔子不便直言，借追问每事的由来，以示其违礼。

译文

孔子进了周公庙，看到每件事都要问明道理。有人说："谁说叔梁纥的儿子知礼？他进了周公庙，每件事情都要请教别人。”孔子听说了这话，说：“这正是礼。”

子曰：“射不主皮[1]，为力不同科[2]，古之道也。”（3.16）

注释

[1] 射不主皮：射礼的意义不在于穿透皮侯，射中目标。古代箭靶称“侯”，大射礼用皮侯。射，指射礼。 [2] 科：等级，程度。

译文

孔子说：“射礼比箭，不以穿透箭靶为主要目的，因为人的力气各有不同，这是古时射礼的规矩。”

子贡欲去告朔之饩羊[1]。子曰：“赐也，尔爱其羊[2]，我爱其礼。”（3.17）

注释

[1] 告朔之饩（xì）羊：告朔，古代礼制。天子在每年季冬颁告诸侯来年每个月的历书，诸侯接受后藏于祖庙，每月初一以生羊献祭后颁行。鲁君当时已不行此礼，只杀一只羊，空留形式。朔，每月初一。饩，生的牲口。 [2] 爱：可惜。

译文

子贡想撤去告朔礼上徒余形式的生羊。孔子说：“赐啊，你可惜那只羊，我爱惜这种礼。”

子曰："事君尽礼，人以为谄也。"（3.18）

译文

孔子说："为君主效力，尽到人臣应有的礼节，别人却以为那是谄媚。"

定公问[1]："君使臣，臣事君，如之何？"孔子对曰："君使臣以礼，臣事君以忠。"（3.19）

注释

[1]定公：鲁国国君，姓姬，名宋，定是谥号。

译文

鲁定公问："君主指使臣子，臣子侍奉君主，应该怎样？"孔子回答说："君主应该依礼指使臣子，臣子应该忠心侍奉君主。"

子曰："《关雎》[1]，乐而不淫，哀而不伤[2]。"（3.20）

注释

[1]《关雎》：《诗经》的第一篇。　[2]淫、伤：朱熹《论语集注》："淫者，乐之过而失其正者也。伤者，哀之过而害于和者也。"

译文

孔子说："《关雎》这首诗，快乐而不至于放纵，悲哀而不至于伤痛。"

哀公问社于宰我[1]。宰我对曰："夏后氏以松，殷人以柏，周人以栗[2]，曰使民战栗。"子闻之，曰："成事不说，遂事不谏[3]，既往不咎。"（3.21）

注释

[1]社：土地神。从哀公与宰我的问答来看，这里的社指社主。祭祀土神时要立一块木制牌位，当做神灵的依凭，称为主。宰我：孔子弟子宰予，字子我。　　[2]松、柏、栗：各代都城土地不同，适合种植的树也不同，牌位所用的木材因地而异。夏都宜种松，殷都宜种柏，周都宜种栗。　　[3]谏：谏止，劝阻。

译文

鲁哀公问宰我社主应该用什么木材。宰我回答说："夏代用松木，殷代用柏木，周代用栗木，意在使百姓战栗。"孔子听了这话，说："已经完成的事不便再解释，势不可免的事不便再挽救，过去了的事不便再追究。"

子曰："管仲之器小哉[1]！"或曰："管仲俭乎？"曰："管氏有三归[2]，官事不摄[3]，焉得俭？""然则管仲知礼乎？"曰："邦君树塞门[4]，管氏亦树塞门。邦君为两君之好，有反坫[5]，管氏亦有反坫。管氏而知礼，孰不知礼？"（3.22）

注释

[1] 管仲：名夷吾，齐桓公宰相，帮助桓公完成霸业。

[2] 三归：主要有四种解释。一、据何晏《论语集解》引包咸注，三归是指娶三姓之女。俞樾《群经平议》："就妇人言之谓之归，自管仲言之当谓之娶……且如其说，亦是不知礼之事，而非不俭之事。"以为娶三姓之女与不俭的评价不合。二、朱熹《论语集注》据刘向《说苑》，认为三归是台名，武亿《群经义证》申此说以为是藏钱币的府库。这一说法不见于先秦典籍，毛奇龄认为是刘氏误读古书所致。三、俞樾《群经平议》据《韩非子》，以为管仲家有三处。四、郭嵩焘《养知书屋文集》卷一《释三归》以为是"市租之常例之归之公者也"，则三归是指市租。 [3] 摄：兼任。

[4] 树塞门：何晏《论语集解》引郑玄注："人君有别内外于门，树屏以蔽之。"管仲树塞门是僭礼。树，树立屏障。塞，遮蔽。

[5] 反坫（diàn）：国君间宴飨时放置器物的土制台子。

译文

孔子说："管仲的器量真小啊！"有人说："管仲节俭吗？"孔子说："管仲家有三处，为他办事的人各司一职，从不兼差。他怎么算得上节俭？"又问："那管仲知礼节吗？"孔子说："国君在宫室前树屏障以别内外，管仲也树立了屏障。国君间招待外国君主的飨宴有放置酒樽的反坫，管仲也有反坫。要是管仲都懂得礼节，还有谁不懂得礼节？"

子语鲁大师乐[1]，曰："乐其可知也。始作，翕如也[2]。从之[3]，纯如也[4]，皦如也[5]，绎如也[6]，以成。"（•3.23）

注释

[1] 语（yù）：这里作动词，告诉。大（tài）师：乐官名。 [2] 翕（xī）如：指众乐合奏，乐声盛大的样子。 [3] 从：通“纵”，放纵，发散。 [4] 纯：和谐。 [5] 皦（jiǎo）：分明。 [6] 绎：延续。

译文

孔子告诉鲁国乐官奏乐的道理，说：“奏乐的道理也许是可以知晓的。刚开始，众乐合奏，乐声兴起。继而散开，音调纯正和谐，音节清浊分明，余音绵延不绝，整章乐曲就这样完成了。”

仪封人请见[1]，曰：“君子之至于斯也，吾未尝不得见也。”从者见之[2]。出曰：“二三子何患于丧乎[3]？天下之无道也久矣，天将以夫子为木铎[4]。”（3.24）

注释

[1] 仪：卫国地名。封人：官名，掌理边疆事务。 [2] 从者：指孔子的随行弟子。 [3] 丧：指丧失官位。或说指孔子的学说隐没不显。 [4] 木铎（duó）：铜制木舌的大铃，古代颁布新政令前摇木铎宣告众人，这里借以比喻上天欲使孔子宣明教化，警示世人。

译文

仪地掌管边疆的官员请求进见孔子，说：“君子来到这里，我从没有不跟他们见面的。”随行弟子为他通报，孔子接见了他。他出来对孔子的弟子说："你们何必担忧夫子没有官位呢？天下无道已经太久了，上天要让夫子作木铎。"

子谓《韶》[1]："尽美矣，又尽善也[2]。"谓《武》[3]："尽美矣，未尽善也。"（3.25）

注释

[1]《韶》：舜时的乐曲名。　[2]美、善：朱熹《论语集注》："美者，声容之盛。善者，美之实也。"舜以圣德受禅得天下，孔子称尽善；武王以武力伐纣得天下，孔子认为未尽善。　[3]《武》：周武王时的乐曲名。

译文

孔子评论《韶》乐："美到极点了，也善到极点了。"评论《武》乐："美到极点了，还没有善到极点。"

子曰："居上不宽[1]，为礼不敬，临丧不哀，吾何以观之哉？"（3.26）

注释

[1]上：上位，高位。宽：宽宏，宽厚。

译文

孔子说："身居上位不能宽厚大量，行礼时不能庄严恭敬，参加丧祭不动哀情，这种人还有什么可看的？"

文史链接

《韶》乐与成语“尽善尽美”

孔子三十五岁那年，鲁国发生变乱，他来到齐国。在齐国，孔子听到了他心目中最美好的音乐——《韶》。

《韶》是上古虞舜时代的音乐，据说是舜的乐师根据帝喾（kù）时代流传下来的音乐整理、改编而成。这支曲子由箫、笙等乐器配合演奏，又被称为《箫韶》。孔子听闻《韶》乐，被它的美所震撼，一连几日沉浸在音乐中，茶饭不思，食肉无味。

孔子也听过《武》乐。《武》是周武王时代的音乐，孔子称赞它的旋律优美如《韶》，但总体而言不及《韶》。《韶》乐有一种至善的气象与境界，而《武》乐没有。

为什么会有这样的差别呢？这或许与孔子的理想有关。周武王以武力推翻暴虐的商纣王，尧舜之间则是以和平的禅让。武王的功绩虽然伟大，但他以臣弑君，终究是违背道义的。所以在孔子看来，《武》乐美则美矣，善则有缺。

后人用“尽善尽美”来形容完善美好，无可挑剔。孔子对《韶》的评价便是成语“尽善尽美”的出处。

思考讨论

孔子是怎样理解君臣关系的？

里仁第四

子曰："里仁为美[1]，择不处仁[2]，焉得知？"（4.1）

注释

[1] 里仁为美：以居住在民风仁厚的乡里为美。或说以居住在有仁者的乡里为美。里，住处，这里作动词。　[2] 择：选择居所。或说选择安身之道。皇侃《论语义疏》引沈居士曰："言所居之里尚以仁地为美，况择身所处而不处仁道，安得智乎？"

译文

孔子说："以邻里乡间有仁厚的风俗为美，不选择住在民风仁厚的地方，怎么能称得上明智呢？"

子曰："不仁者不可以久处约[1]，不可以长处乐。仁者安仁，知者利仁[2]。"（4.2）

注释

[1] 约：困穷。　[2]"仁者"二句：《朱子语类》："安仁者不知有仁，如带之忘腰，履之忘足。利仁者是见仁为一物，就之则利，去之则害。"知，同"智"。

译文

孔子说："没有仁德的人不能长久处于困穷，也不能长久处于安乐。有仁德的人以行仁为安乐，聪明的人以行仁为手段。"

子曰："惟仁者能好人，能恶人[1]。"（4.3）

注释

[1]"惟仁者"二句：仁者公正无私，能做到好恶得当。好，喜爱。恶，厌恶。

译文

孔子说："只有心怀仁德的人才能公允地喜爱一个人，憎恶一个人。"

子曰："苟志于仁矣[1]，无恶也[2]。"（4.4）

注释

[1]苟：如果。　[2]恶：一说读为 è，指恶念与恶行。心存仁德之人，即使偶有过失，也绝不至于有为恶之心。或说读为 wù，厌恶。仁者爱人，无恶人之念。钱穆《论语新解》说："上章谓'惟仁者能好人，能恶人'。然仁者必有爱心，故仁者之恶人，其心仍出于爱。恶其人，仍欲其人之能自新以反于善，是仍仁道。故仁者恶不仁，其心仍本于爱人之仁，非真有所恶于其人。若真有恶人之心，又何能好人乎？故上章能好人能恶人，乃指示人类性情之正。此章'无恶也'，乃指示人心大公之爱。"

译文

孔子说："若是有志于仁，就不会再有为恶之心。"

子曰："富与贵，是人之所欲也，不以其道得之[1]，不处也。贫与贱，是人之所恶也，不以其道得之，不去也[2]。君子去仁，恶乎成名[3]？君子无终食之间违仁，造次必于是[4]，颠沛必于是。"（4.5）

注释

[1]得:得到。之:此处指"富与贵"。　[2]"不以"二句:之，当指"贫与贱"，而"贫与贱"并非人欲得，因此或以"得"为"去"之误写，但只是臆测。或以"得之"连下读，"不以其道，得之不去也"。[3]恶（wū）乎：于何处。恶，何。　[4]造次：匆忙，仓促。

译文

孔子说："富裕与尊贵，是每个人都想得到的，若不用正当的方法争取，君子不愿接受它。贫困与卑微，是每个人都厌恶的，若不用正当的方法摆脱，君子不愿逃避它。君子抛却了仁德，还怎么称得上是君子？君子没有在一顿饭那样短暂的时间里离开仁德，即使是在急遽仓促的时候也要守仁道，即使是在颠沛流离的情况下也要守仁道。"

子曰："我未见好仁者，恶不仁者。好仁者，无以尚之[1]。恶不仁者，其为仁矣，不使不仁者加

乎其身。有能一日用其力于仁矣乎？我未见力不足者。盖有之矣[2]，我未之见也。”（4.6）

注释

[1] 尚：超过。　　[2] 盖：语气词，表推测。

译文

孔子说：“我没有见过真正爱好仁德的人以及厌恶不仁的人。笃好仁德的人，不让任何东西凌驾于仁之上。厌恶不仁的人，他行仁德，不让不仁的言行发生在自己身上。有没有人能一天都致力于行仁德呢？我没有见到想这样做而能力不够的。大概有这样的人吧，只是我没有见到。”

子曰：“人之过也，各于其党[1]。观过，斯知仁矣[2]。”（4.7）

注释

[1] 党：同类。　　[2]“观过”二句：主要有两种解释。一说是可以推知观过者是否有仁德。皇侃《论语义疏》：“耕夫不能耕，乃是其失，若不能书，则非耕夫之失也……若观人之过能随类而责，不求备于一人，则知此观过之人有仁心人也。”一说是可以推知犯错者是否有仁德，因为过错最能体现一个人的真性情。朱熹《论语集注》引程子曰：“君子常失于厚，小人常失于薄。君子过于爱，小人过于忍。”或说仁通人，即由过错推知其为人。

译文

孔子说："人的过错，都可类归。观察一个人犯的错误，就能推知他是否具备仁德。"

子曰："朝闻道[1]，夕死可矣。"（4.8）

注释

[1] 道：历来歧解很多，基本上都是论者根据自己所理解的孔子思想所作的见仁见智的推测与发挥。

译文

孔子说："早上听闻了道，即使当晚死去也无遗憾。"

子曰："士志于道，而耻恶衣恶食者，未足与议也。"（4.9）

译文

孔子说："读书人有志于道，却为自己的粗衣陋食感到羞耻，那就不值得同他谈论了。"

子曰："君子之于天下也，无适也，无莫也[1]，义之与比[2]。"（4.10）

注释

[1]“无适”二句：主要有两种解释。一、古本“适（適）”或作“敌（敵）”，敌对。“莫”通“慕”，爱慕。无所敌对，无所爱慕，也即无厚无薄、无亲无疏的意思。二、朱熹《论语集注》：“适，专主也。莫，不肯也。”即无可无不可的意思。 [2]义：宜也。合宜，适当。比（bì）：亲近。或说依从。

译文

孔子说：“君子对天下的事，不认为一定该怎样，也不认为一定不该怎样，只依循事之所宜去处理。”

子曰：“君子怀德[1]，小人怀土。君子怀刑，小人怀惠。”（4.11）

注释

[1]怀：思念，有念念不忘的意思。或说安于。

译文

孔子说：“君子心念道德，小人心念乡土。君子心念法度，小人心念私贿。”

子曰：“放于利而行[1]，多怨[2]。”（4.12）

注释

[1]放：依照。或说追逐。 [2]多怨：一说自己对他人多怨。一说他人对自己多怨。

译文

孔子说："一切依照谋利的原则行事，心中就会多生怨念。"

子曰："能以礼让为国乎[1]？何有[2]？不能以礼让为国，如礼何？"（4.13）

注释

[1] 礼让：朱熹《论语集注》："让者，礼之实也。"让，谦让、辞让。 [2] 何有：何难之有，有什么困难的意思。

译文

孔子说："能用礼让的精神来治理国家吗？这样治国还有什么难处？不能用礼让的精神来治理国家，那该怎样对待礼？"

子曰："不患无位，患所以立[1]。不患莫己知，求为可知也。"（4.14）

注释

[1] 所以立：刘宝楠《论语正义》："立者，立乎其位也，患所以立，犹言患无所以立……或谓立与位同，上二句两位字，与下二句两知字，文法一例。《汉石经春秋》'公即位'作'公即立'。"

译文

孔子说："不担忧没有官职，只担忧自己不具备任职的能力。不要担忧没有人知道自己，应该去寻求值得被人所知的才学。"

子曰："参乎！吾道一以贯之[1]。"曾子曰："唯[2]。"子出，门人问曰："何谓也？"曾子曰："夫子之道，忠恕而已矣[3]。"（4.15）

注释

[1]贯：贯通。　　[2]唯：应答之词，表示已经领会。[3]忠恕：朱熹《论语集注》："尽己之谓忠。"恕，孔子解释为"己所不欲，勿施于人"。（15.24）

译文

孔子说："曾参啊！我所说的道是可以用一个中心贯穿的。"曾子说："是。"孔子出去以后，其他弟子问："这是什么意思？"曾子说："老师的道理，都在'忠'和'恕'中了。"

子曰："君子喻于义[1]，小人喻于利。"（4.16）

注释

[1]喻：知晓。朱熹《论语集注》引程子曰："唯其深喻，是以笃好。"

译文

孔子说："君子深明道义，小人唯知利益。"

子曰："见贤思齐焉[1]，见不贤而内自省也[2]。"（4.17）

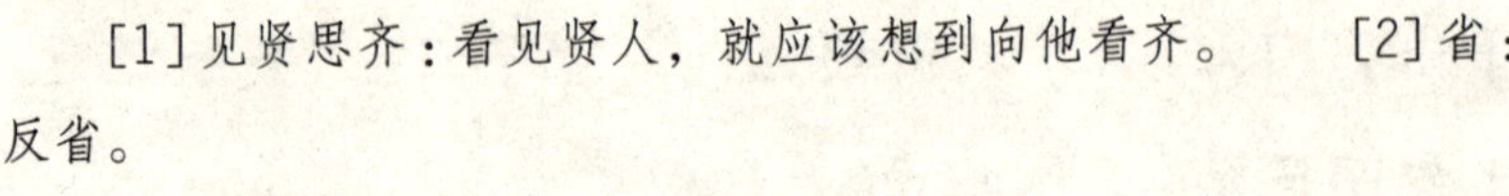

注释

[1] 见贤思齐：看见贤人，就应该想到向他看齐。 [2] 省：反省。

译文

孔子说："见到有贤德的人便向他看齐，见到不贤的人便在内心反省（自己有没有这些不足之处）。"

子曰："事父母几谏[1]，见志不从，又敬不违，劳而不怨[2]。"（4.18）

注释

[1] 几（jī）：微也，这里指缓和、婉转。 [2] 劳：担忧。王引之《经义述闻》据《孟子·万章》"父母爱之，喜而不忘。父母恶之，劳而不怨"，以为"喜"与"劳"相对成文，"劳"作"忧"解，指心中担忧。或说指反复苦心规劝。

译文

孔子说："侍奉父母，（如果他们有不对的地方）应该委婉缓和地规劝。见自己的心意没有被依从，也要恭敬而不违逆父母的意愿，只在心中担忧而不抱怨。"

子曰："父母在，不远游[1]，游必有方[2]。"（4.19）

注释

[1]游：指游学、游官、经商等外出活动。　[2]方：方向，方位。

译文

孔子说："父母在世时，子女不该去很远的地方，即使要远行，也要有个一定的去处。"

子曰："三年无改于父之道，可谓孝矣。"（4.20）

译文

见《学而第一》1.11。

子曰："父母之年[1]，不可不知也，一则以喜，一则以惧。"（4.21）

注释

[1]年：年龄，年纪。

译文

孔子说："父母的年纪，不可不记在心里，一方面为他们的高寿喜悦，一方面又为他们的高龄担心。"

子曰："古者言之不出，耻躬之不逮也[1]。"（4.22）

注释

[1] 躬：自身。逮：及。

译文

孔子说："古时候的人话不轻易出口，因为他们以说到做不到为耻。"

子曰："以约失之者鲜矣[1]。"（4.23）

注释

[1] 约：汪烜《四书诠义》："内束其心，外束其身，谨言慎行，审密周详，谦卑自牧，皆所谓约。"指约束、节制自己的思想言行。或说是俭约的意思。

译文

孔子说："因为约束自己而犯下过失，这样的情况很少见。"

子曰："君子欲讷于言而敏于行[1]。"（4.24）

注释

[1] 讷（nè）：言语迟钝。这里指稳重谨慎。敏：勤敏。

译文

孔子说："君子说话要谨慎，做事要敏捷。"

子曰："德不孤，必有邻[1]。"（4.25）

注释

[1] 有邻：张栻《论语解》："如善言之集，良朋之来，皆所谓有邻也。"

译文

孔子说："有德的人不会孤立，总有志同道合的人相随。"

子游曰："事君数[1]，斯辱矣。朋友数，斯疏矣。"（4.26）

注释

[1] 数：一说读 shuò，频繁。或说读 shǔ，数己之功劳，有夸耀、邀功的意思。

译文

子游说："侍奉君主过于琐碎迫切，便会招致侮辱。对待朋友过于琐碎迫切，反而会被疏远。"

文史链接

丁忧

"丁忧"又称"丁艰"，是古代遭父母之丧的统称。据《尔雅·释诂》："丁，当也。"即遭遇、遇到的意思。据《尚书·说命上》："忧，居丧也。"故"丁忧"就是遭逢居丧的意思。子女为父母守丧三年

是一种古老的习俗。三年实指二十七个月，在此期间必须遵循一定的民俗和礼制，不婚娶，不生子，不宴乐，不外游。

这种习俗在东汉以后逐渐被纳入法律条文，国家规定任官者丁忧期间必须离职。官员在丁忧期间如有匿丧不报、居丧作乐、丧期未满释服求职等行为，都被视为不孝，不同朝代对此有轻重不一的处罚。同时，国家也不可以强招丁忧的人为官，出于特殊原因强命其为官的称作“夺情”。

思考讨论

有许多成语来自《论语》。有的是原来语句的沿用，如“不耻下问”、“欲速则不达”；有的是由原来的语句变化而成，如“见义勇为”、“无欲则刚”。请收集并解释这些成语。

公冶长第五

子谓公冶长[1]："可妻也，虽在缧绁之中[2]，非其罪也。"以其子妻之。（5.1）

注释

[1]公冶长：孔子弟子，姓公冶，名长，字子长。　[2]缧绁（léi xiè）：捆绑犯人的绳索，这里代指在狱中。缧，黑色的绳索。绁，系。

译文

孔子评价公冶长："可以把女儿嫁给他，虽然被关入监狱，但那不是他的罪过。"于是把自己的女儿嫁给了他。

子谓南容[1]："邦有道，不废。邦无道，免于刑戮。"以其兄之子妻之。（5.2）

注释

[1]南容：孔子弟子南宫适，字子容。

译文

孔子评价南容："国家政治清明，他不会被废置不用。国家政治昏暗，他也可以免遭不测。"于是把自己的侄女嫁给了他。

子谓子贱[1]："君子哉若人！鲁无君子者，斯焉取斯[2]？"（5.3）

注释

[1]子贱：孔子弟子宓（fú）不齐，字子贱。 [2]斯焉取斯：两个"斯"都是代词，第一个代指子贱，第二个代指君子之德。

译文

孔子评价宓子贱："这人真是君子啊！鲁国若是没有君子，他从哪里习得这样的品德呢？"

子贡问曰："赐也何如？"子曰："女，器也。"曰："何器也？"曰："瑚琏也[1]。"（5.4）

注释

[1]瑚琏（hú liǎn）：盛放黍稷的贵重器皿，用于宗庙祭礼。

译文

子贡问："我怎么样呢？"孔子说："你好比一个器皿。"子贡问："什么器皿？"孔子说："瑚琏。"

或曰："雍也仁而不佞[1]。"子曰："焉用佞？御人以口给[2]，屡憎于人。不知其仁[3]，焉用佞？"（5.5）

注释

[1] 雍：孔子弟子冉雍，字仲弓。佞（nìng）：有口才。 [2] 口给：口才敏捷，言辞不穷。给，足也。 [3] 不知其仁：孔子委婉地表示冉雍没有到仁的境界。其，代指冉雍。

译文

有人说："冉雍有仁德但没有口才。"孔子说："为什么要有口才？用伶牙俐齿应付别人，常常招人厌。我不知冉雍有没有仁德，但为什么要有口才呢？"

子使漆雕开仕[1]。对曰："吾斯之未能信[2]。"子说。（5.6）

注释

[1] 漆雕开：孔子弟子，姓漆雕，名开，字子开。 [2] 吾斯之未能信："吾未能信斯"的倒装形式。

译文

孔子让漆雕开去做官。他回答道："我对此没有信心。"孔子听了很高兴。

子曰："道不行，乘桴浮于海[1]，从我者其由与？"子路闻之喜。子曰："由也好勇过我，无所取材[2]。"（5.7）

注释

[1] 桴（fú）：竹木编成的簰，大的叫筏，小的叫桴，用作水上交通工具。　　[2]"由也"二句：子路好勇过我，不可取。材，通"哉"。也可以将"我"字连下读作"由也好勇过，我无所取材"。或说"材"指桴材，孔子见子路以为自己真的要出海，便作戏言，说没有地方取做桴的木材。或说材，通"裁"，裁度，意为子路不懂得裁度事理。

译文

孔子说："我的主张不能行于世，不如乘着木筏出海，在这种情况下能追随我的，恐怕是仲由吧。"子路听了很高兴。孔子说："仲由好勇远远超过我，不可取啊！"

孟武伯问："子路仁乎？"子曰："不知也。"又问。子曰："由也，千乘之国，可使治其赋也[1]，不知其仁也。""求也何如？"子曰："求也，千室之邑，百乘之家，可使为之宰也[2]，不知其仁也。""赤也何如[3]？"子曰："赤也，束带立于朝[4]，可使与宾客言也，不知其仁也。"（5.8）

注释

[1] 赋：古代的兵役制度，这里泛指军政。　[2] 宰：指子路的才能可以担任城邑的行政长官与卿大夫家的总管。　[3] 赤：孔子弟子公西赤，字子华。　[4] 束带：上朝穿的礼服需束带于腰间。

译文

孟武伯问："子路有仁德吗？"孔子说："不知道。"他又问了一遍。孔子说："仲由这个人，如果是一个有千辆兵车的国家，可以让他去负责军务，至于他有没有仁德，我不知道。"孟武伯问："冉求如何呢？"孔子说："冉求这个人，如果是一个有千户人家的城邑，有百辆军车的卿大夫家，可以让他去做主管，至于他有没有仁德，我不知道。"孟武伯问："公西赤如何？"孔子说："公西赤这个人，可以让他穿着礼服，腰间系着大带，站在朝廷上同他国的使者应答，至于他有没有仁德，我不知道。"

子谓子贡曰："女与回也孰愈[1]？"对曰："赐也何敢望回？回也闻一以知十，赐也闻一以知二。"子曰："弗如也。吾与女弗如也[2]。"（5.9）

注释

[1] 愈：胜。　[2] 与：赞同，孔子赞同子贡的话，认为他确实不及颜回。或说与是连词，孔子说自己与子贡都不如颜回。

译文

孔子问子贡："你和颜回谁强？"子贡回答说："我怎么敢指望比得上颜回？颜回听到一能推知十，我听到一只能推知二。"孔子说："确实不如他。我同意你说自己不如他。"

宰予昼寝[1]。子曰："朽木不可雕也，粪土之墙不可杇也[2]。于予与何诛[3]？"子曰："始吾于人也，听其言而信其行。今吾于人也，听其言而观其行。于予与改是。"（5.10）

注释

[1]昼寝：白天睡觉。《礼记·檀弓》："非致斋也，非疾也，不昼夜居于内。" [2]粪土：污土。杇（wū）：抹平、粉刷墙面的工具，这里作动词，指平整、粉刷。 [3]与：语气词，表停顿。诛：责备。

译文

宰予白天睡觉。孔子说："腐烂的木头不能雕刻，污土砌的墙面不能粉刷。对于宰予还能责备他什么呢？"孔子说："一开始我对人，听了他的话便相信他的行为。现在我对人，听了他的话还要观察他的行为。由于宰予，我改变了态度。"

子曰："吾未见刚者。"或对曰："申枨[1]。"子曰："枨也欲，焉得刚？"（5.11）

注释

[1] 申枨（chéng）：孔子弟子，字子周。

译文

孔子说：“我没有见过坚毅不屈的人。”有人回答说：“申枨就是。”孔子说：“申枨多欲，怎么可能做到坚毅不屈？”

子贡曰：“我不欲人之加诸我也[1]，吾亦欲无加诸人。”子曰：“赐也，非尔所及也。”（5.12）

注释

[1] 加：施加。或说欺凌。

译文

子贡说：“我不愿别人强加于我，我也不愿强加于人。”孔子说：“赐啊，这不是你能做到的。”

子贡曰：“夫子之文章[1]，可得而闻也。夫子之言性与天道，不可得而闻也。”（5.13）

注释

[1] 文章：指文献典籍。

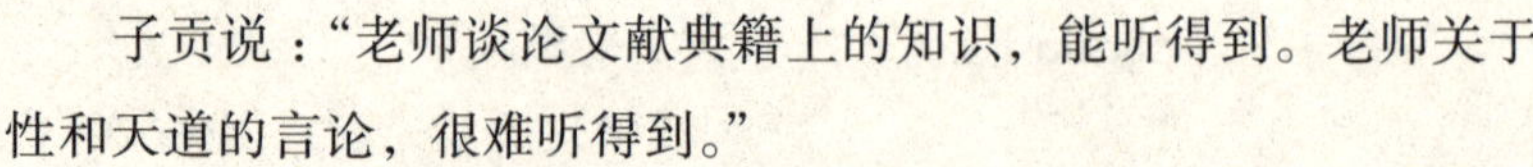

译文

子贡说："老师谈论文献典籍上的知识，能听得到。老师关于性和天道的言论，很难听得到。"

子路有闻，未之能行，唯恐有闻[1]。（5.14）

注释

[1]有：通"又"。

译文

子路听闻一个道理，若没能践行，唯恐再听到新的道理。

子贡问曰："孔文子何以谓之文也[1]？"子曰："敏而好学[2]，不耻下问，是以谓之文也。"（5.15）

注释

[1]孔文子：卫大夫孔圉（yǔ），文是谥号。　[2]敏：天性聪敏。或说指后天勤勉。

译文

子贡问："孔文子凭什么谥号为'文'？"孔子说："他天性聪敏，勤奋好学，而且不以向不如自己的人请教为耻，因此给他'文'的谥号。"

子谓子产有君子之道四焉[1]：其行己也恭，其事上也敬，其养民也惠，其使民也义。（5.16）

注释

[1] 子产：郑国大夫公孙侨，字子产，春秋时期著名的政治家。

译文

孔子称子产有四种合乎君子之道的品格：他自己行事严肃不苟，侍奉君主恭敬有礼，教养人民给予恩惠，役使人民合于道义。

子曰："晏平仲善与人交[1]，久而敬之。"（5.17）

注释

[1] 晏平仲：齐国大夫晏婴，字仲，平是谥号。后人尊称他为晏子。

译文

孔子说："晏平仲善于和人打交道，相处越久，别人越尊敬他。"

子曰："臧文仲居蔡[1]，山节藻棁[2]，何如其知也？"（5.18）

注释

[1] 臧文仲：鲁国大夫臧孙辰，文是谥号。居蔡：居，动词，居藏。

蔡，占卜用的大龟。《礼记·礼器》有“家不宝龟”，臧文仲私藏大龟是违礼。 [2] 山节藻棁（zhuō）：意为把斗栱雕刻成山的形状，在梁上的楹雕刻水草的纹样。言其装饰奢侈。《礼记·明堂位》：“山节藻棁，复庙重檐，天子之庙饰也。”节，立柱与横梁之间的斗栱。棁，屋梁上的短柱。

译文

孔子说：“臧文仲造了一间屋子私藏占卜用的大龟，屋子有雕刻得像山一样的柱顶和画着水草纹样的梁上短柱。这还算得上聪明吗？”

子张问曰：“令尹子文三仕为令尹[1]，无喜色。三已之，无愠色。旧令尹之政，必以告新令尹。何如？”子曰：“忠矣。”曰：“仁矣乎？”曰：“未知，焉得仁？”“崔子弑齐君[2]，陈文子有马十乘[3]，弃而违之[4]。至于他邦，则曰：‘犹吾大夫崔子也。’违之。之一邦，则又曰：‘犹吾大夫崔子也。’违之。何如？”子曰：“清矣。”曰：“仁矣乎？”曰：“未知，焉得仁？”（5.19）

注释

[1] 令尹：官名，楚国执政的上卿。子文：楚大夫斗穀，字於菟（wū tú）。 [2] 崔子弑齐君：《左传》襄公二十五年载，齐

庄公通崔杼之妻，崔子弑君，并以此取悦晋国。崔子，齐大夫崔杼（zhù）。弑，下杀上称弑。齐君，指齐庄公。　[3] 陈文子：齐国大夫陈须无，文是谥号。　[4] 违：离开。

译文

子张问："楚国的令尹子文多次出任令尹一职，他并没有欣喜的神色。又多次被罢免，他也没有怨恨的神色。自己任上的政事，必定告诉接任的新令尹。这个人怎么样？"孔子说："他忠诚尽责。"子张问："那么他有仁德吗？"孔子说："不知道，这怎么能算作仁呢？"子张说："齐国大夫崔杼杀了齐国国君，陈文子有四十匹马，他抛下这些离开齐国。到了别的国家，他说：'这里执政的人和我们齐国的崔杼一样。'于是离开了。到了另一个国家，他又说：'这里执政的人和我们齐国的崔杼一样。'再次离开了。这个人怎么样？"孔子说："他为人清白。""那么他有仁德吗？"孔子说："不知道，这怎么能算作仁呢？"

季文子三思而后行[1]。子闻之，曰："再，斯可矣。"（5.20）

注释

[1] 季文子：鲁大夫季孙行父，文是谥号。三思：指反复思考，行事过于小心。或说与下文的"再"（两次）相对应，这里的"三"实指三次。

译文

季文子做事都要经过多次考虑才行动。孔子听闻后说：“只要考虑两次就可以了。”

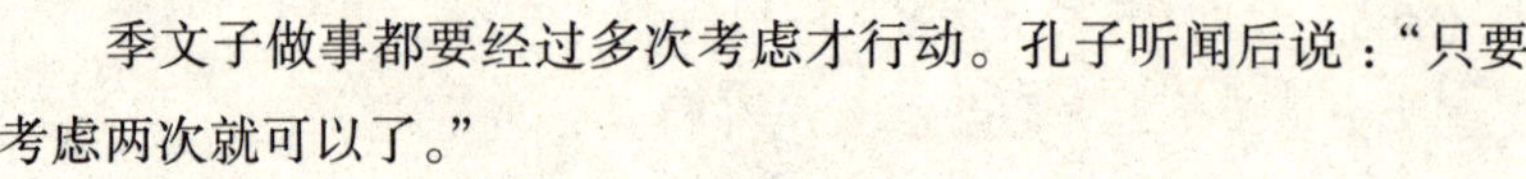

子曰：“宁武子邦有道则知[1]，邦无道则愚[2]。其知可及也，其愚不可及也。”（5.21）

注释

[1] 宁武子：卫国大夫宁俞，武是谥号。　　[2] 愚：这里指伪装愚钝。

译文

孔子说：“宁武子在国家政治清明时显露出自己的才智，在国家政治混乱时便装出愚笨的样子。他的才智还能比得上，他能装傻就比不上了。”

子在陈[1]，曰：“归与！归与！吾党之小子狂简[2]，斐然成章[3]，不知所以裁之[4]。”（5.22）

注释

[1] 陈：陈国。据《史记·孔子世家》，孔子周游诸国，当时已经年届花甲，道不行而有思归之意。　　[2] 党：乡党。狂简：志向远大而略于行事。或说狂有“狂者进取”之意。简，大也。意为进取于大道。　　[3] 斐然：形容文采之盛。成章：指学已有

成，颇为可观。章，文采。　　[4] 裁之：这里指孔子弟子不知如何约束自己。或说指孔子不知如何归正他们。裁，割正。

译文

孔子在陈国，说道："回去吧！回去吧！我家乡的学生们志向远大，但做事简单，都已经学有所成，文章颇为可观，只是不知道怎么归正自己。"

子曰："伯夷、叔齐不念旧恶[1]，怨是用希。"（5.23）

注释

[1] 伯夷、叔齐：相传为商末时孤竹国君的两个儿子，相互礼让不肯即位为君，一同往归周文王。周起兵讨伐商纣王，他们劝谏武王不可以臣弑君。周灭商，二人"义不食周粟"，饿死在首阳山。

译文

孔子说："伯夷和叔齐不记过去的仇恨，因而别人对他们的怨恨也很少。"

子曰："孰谓微生高直[1]？或乞醯焉[2]，乞诸其邻而与之。"（5.24）

注释

[1] 微生高：鲁国人，姓微生，名高。　　[2] 醯（xī）：醋。

译文

孔子说："谁说微生高正直？有人向他讨点醋，（不直说自己没有）他向自己的邻居要来再给人家。"

子曰："巧言，令色，足恭[1]，左丘明耻之[2]，丘亦耻之。匿怨而友其人，左丘明耻之，丘亦耻之。"（5.25）

注释

[1]足恭：邢昺《论语疏》："谓前却俯仰，以足为恭。"即姿态卑屈顺从的意思。或说足，过也，指过分恭谦。 [2]左丘明：旧说是鲁国史官，相传为《左传》的作者。但这里的左丘明显然是孔子的前辈，朱熹《论语集注》引程子言推测他是"古之闻人"。

译文

孔子说："巧饰言语，伪装善貌，姿态卑屈，左丘明认为这样可耻，我也认为这样可耻。隐藏着对别人的怨恨，装出与他友好的样子，左丘明认为这样可耻，我也认为这样可耻。"

颜渊季路侍。子曰："盍各言尔志[1]？"子路曰："愿车马衣轻裘[2]，与朋友共，敝之而无憾[3]。"颜渊曰："愿无伐善[4]，无施劳[5]。"子路曰："愿闻子之志。"子曰："老者安之，朋友信之，少者怀之。"（5.26）

注释

[1]盍:“何不”的合音。 [2]车马衣轻裘:据清代学者考证,“轻”字是后来窜入的衍文,当作“车马衣裘”。 [3]敝:破败。[4]伐:夸耀。 [5]施劳:夸大自己的功劳,与“伐善”为互文。或说不将烦劳之事施加于人。

译文

颜渊和季路站在孔子身侧。孔子说:“何不说说你们各自的志向?”子路说:“我愿意把我自己的车马衣服拿出来与朋友共享,即使用坏了也不觉得遗憾。”颜渊说:“愿能不夸耀自己的长处,不夸大自己的功劳。”子路说:“希望听到老师的志向。”孔子说:“愿老者安养,朋友存信,少者感怀。”

子曰:“已矣乎,吾未见能见其过而内自讼者也[1]。”(5.27)

注释

[1]讼:责备。

译文

孔子说:“罢了,我从未见过一个能觉察到自己的过错便在心里自责的人。”

子曰:“十室之邑,必有忠信如丘者焉,不如丘之好学也。”(5.28)

译文

孔子说：“即便是十户人家的小邑，也一定有像我一样忠信的人，只是不如我好学。”

文史链接

愚不可及

孔子评价宁武子处世的态度：“邦有道则知，邦无道则愚。其知可及也，其愚不可及也。”是说他懂得审时度势，国家太平时显出自己的聪明，国家昏乱时能做到深藏不露——“愚”在这里不是真傻，而是装傻。“愚不可及”最初是一句赞赏，而不是奚落。

《三国志·魏志·荀悠传》载，曹操也曾以“愚不可及”来赞扬荀攸。荀攸是谋士，在曹操统一北方的征战中立下不少功劳，曹操评价他:“外愚内智，外怯内勇，外弱内强。不伐善，无施劳。”这是一种韬光养晦、全身远害的策略，看似愚钝，实则是一般人难及的智慧。

“愚不可及”后来成了成语，在今人的用法中，这个词渐渐失去了“内愚外智”的含义，直指极为笨拙。比如鲁迅《范爱农》中就有这样的用法：“我们醉后常谈些愚不可及的疯话，连母亲偶然听到了也发笑。”

子　贡

端木赐，字子贡，卫人。孔子曾将十位优秀的弟子分为德行、政事、言语和文学四科，子贡是言语科中的佼佼者。春秋时列国纷争，纠葛不断，子贡总能凭借杰出的口才游刃有余地斡旋其间，是当时一流的外交家。典籍中对他的事迹有不少记载。

据说孔子一行在陈绝粮时，子贡受师命前往楚国求助，成功地搬来昭王的救兵为孔子解围。鲁哀公七年（前 488），吴国企图称霸，兴师北上向鲁国征百牢(牛、羊、猪各一百)。鲁哀公迎吴人，而吴人非要见季康子，季康子即派子贡去应付。子贡把吴人说得哑口无言。鲁哀公十五年（前 480），齐鲁讲和，经子贡周旋，齐国终于归还了它以前霸占的鲁国土地。

《史记 · 仲尼弟子列传》中记载了子贡游说诸侯而“存鲁、乱齐、破吴、强晋而霸越”的事迹。当时齐国的田常欲作乱于齐，想先出兵伐鲁。国难当头，孔子命弟子出使国外为鲁解困。子路、子张、子石请行，孔子都不答应。唯独子贡请行，孔子才同意。子贡领命，先到齐国，果然说服田常放弃伐鲁而伐吴。接着又去劝说吴国救鲁伐齐，但吴王担心背后的越国乘虚而入，犹豫不决。于是子贡前往越国，说服越军随吴伐齐。之后，他又向晋王说明吴国战胜齐国后必然加兵于晋，让晋国作好战争准备。结果吴国出兵大败齐军，晋国又大败吴军，越王趁吴军在北方失利，从背后袭吴，终于把吴国灭掉而北上争霸。司马迁评价道 :“子贡一使，使势相破，十年之中，五国各有变。”

子贡还是当时著名的富商,《史记 · 货殖列传》共记载了十七个人的经商活动，子贡位居第二。孔子向来对商业不感兴趣，他在埋怨子贡的同时却也忍不住流露出对弟子的赞赏 :“子贡不听我的话，把精力都花在行商生财的事情上。他总在揣测，又常能猜中。”由于他能及时掌握行情，又善于买卖经营，竟到了“家累千金”的地步，毫无疑问是孔门的首富。后人用“端木遗风”来形容诚信经商的良好风气，源头便是子贡。

思考讨论

谈谈孔子称许弟子哪些品行。

雍也第六

子曰："雍也可使南面[1]。"（6.1）

注释

[1] 南面：古代以坐北朝南为尊，君主、诸侯、卿大夫作为长官出现时总是向南而坐。这里是指冉雍的才能和德行可以担任卿大夫。

译文

孔子说："冉雍这个人，可以让他去做官处理政事。"

仲弓问子桑伯子[1]。子曰："可也简[2]。"仲弓曰："居敬而行简，以临其民，不亦可乎？居简而行简，无乃大简乎[3]？"子曰："雍之言然。"（6.2）

注释

[1] 子桑伯子：人名，生平不详。 [2] 可：表示大致肯定而未尽善。简：简要，指不烦扰百姓。 [3] 大：同"太"。

译文

仲弓问起子桑伯子。孔子说："还可以，他做事简要。"仲弓说：

“如果用心恭敬，做事简要，这样治理百姓，不也可以吗？如果用心粗略，做事简单，这样不是太简单了吗？”孔子说：“你说得对。”

哀公问：“弟子孰为好学？”孔子对曰：“有颜回者好学，不迁怒，不贰过。不幸短命死矣[1]。今也则亡，未闻好学者也。”（6.3）

注释

[1] 短命：颜回终年旧注不尽相同，或说三十一岁，或说四十一岁。

译文

鲁哀公问孔子：“弟子中有谁好学？”孔子回答说：“有个叫颜回的好学。他不把怒气出在别人身上，也不犯同样的错误。不幸短命死了。如今没有这样的弟子了，我再也没听说过好学的人了。”

子华使于齐，冉子为其母请粟。子曰：“与之釜[1]。”请益。曰：“与之庾[2]。”冉子与之粟五秉[3]。子曰：“赤之适齐也，乘肥马，衣轻裘。吾闻之也，君子周急不继富[4]。”（6.4）

注释

[1] 釜：古代计量单位，容当时的六斗四升。　　[2] 庾（yǔ）：

古代计量单位,容当时的二斗四升。这里指增加的数目。 [3]秉:古代计量单位,一秉合十六斛(hú),一斛合十斗。 [4]周:周济,救济。

译文

子华出使齐国，冉有为他的母亲向孔子请求粟米。孔子说:“给她一釜。”冉有请求再加一点。孔子说:“再给她一庾。”冉有最终给了她五秉。孔子说:“公西赤去齐国，乘着肥马拉的车，穿着轻暖的皮衣。我听说，君子救济急难而不增益富余。”

原思为之宰[1]，与之粟九百，辞。子曰:“毋[2]。以与尔邻里乡党乎[3]。”(6.5)

注释

[1]原思:孔子弟子原宪，字子思。之:代指孔子。 [2]毋:不要。 [3]邻里乡党:古时候五家为邻，五邻为里，五百家为党，一万二千五百家为乡。这里泛指邻居乡亲。

译文

原思担任孔家总管。孔子给他粟米九百,他不肯接受。孔子说:“不必推辞。如果有多余就给你邻居乡亲吧。”

子谓仲弓，曰:“犁牛之子骍且角[1]，虽欲勿用，山川其舍诸[2]？”(6.6)

注释

[1]犁牛：耕牛。或说杂色的牛。骍（xīng）：纯赤色。周人尚赤，祭祀时用赤色的牛。角：指牛角周正，符合祭祀的要求。

[2]山川：指山川之神。其：难道。诸："之乎"的合音。之，代指犁牛之子。有旧注说仲弓父亲低贱，孔子以犁牛之子喻仲弓，言仲弓不会因出身贫贱而不被任用。

译文

孔子谈到仲弓，说："耕牛的牛犊毛色赤红，又长着端正整齐的角，虽然有人不想用它作牲牛献祭，山川之神难道愿意舍弃它吗？"

子曰："回也，其心三月不违仁[1]，其余则日月至焉而已矣[2]。"（6.7）

注释

[1]违：离。　　[2]日月：与上句"三月"都是虚指。三月喻其时之久，日月喻其时之短。

译文

孔子说："颜回啊，他可以心里长久地不离开仁德，其他的弟子只是一时想得到而已。"

季康子问："仲由可使从政也与？"子曰："由也果，于从政乎何有？"曰："赐也可使从政也与？"

曰："赐也达，于从政乎何有？"曰："求也可使从政也与？"曰："求也艺，于从政乎何有？"（6.8）

译文

季康子问孔子："仲由这个人，可以让他处理政事吗？"孔子说："仲由行事果断，让他处理政事有什么困难呢？"又问："端木赐这个人，可以让他处理政事吗？"孔子说："端木赐通达事理，让他处理政事有什么困难呢？"又问："冉求这个人，可以让他处理政事吗？"孔子说："冉求多才多艺，让他处理政事有什么困难呢？"

季氏使闵子骞为费宰[1]。闵子骞曰："善为我辞焉！如有复我者，则吾必在汶上矣[2]。"（6.9）

注释

[1] 闵子骞：孔子弟子闵损，字子骞。费：季氏的采邑。

[2] 汶（wèn）上：汶水边。汶，汶水，即山东大汶河。

译文

季氏让闵子骞做费地的邑宰。闵子骞说："请好好帮我辞谢吧！如果再有来找我的人，我一定逃到汶水边去了。"

伯牛有疾[1]，子闻之，自牖执其手[2]，曰："亡之命矣夫[3]！斯人也而有斯疾也！斯人也而有斯疾也！"（6.10）

注释

[1]伯牛：孔子弟子冉耕，字伯牛。　[2]牖（yǒu）：窗户。[3]亡之命矣夫：亡，通“无”，意为伯牛不该有此命运。或说亡，死亡，在“亡之”后断句，意为伯牛快要死了，这是命啊。

译文

冉伯牛生了重病，孔子去探望他，从窗外握着他的手，说：“你命不该如此啊！这样的人竟得了这样的病！这样的人竟得了这样的病！”

子曰：“贤哉，回也！一箪食[1]，一瓢饮，在陋巷，人不堪其忧，回也不改其乐。贤哉，回也！”（6.11）

注释

[1]箪（dān）：盛饭的圆形竹器。

译文

孔子说：“颜回真是贤良啊！一箪饭，一瓢水，住在简陋的巷子里。别人受不了这样的愁苦，颜回却不改他自得的快乐。颜回真是贤良啊！”

冉求曰：“非不说子之道[1]，力不足也。”子曰：“力不足者，中道而废，今女画[2]。”（6.12）

注释

[1]说：同“悦”。　[2]画：朱熹《论语集注》：“力不足者，欲进而不能。画者，能进而不欲。谓之画者，如画地以自限也。”

译文

冉求说：“并非不喜欢您的学说，只是我力量不够。”孔子说：“力量不够的人，是在半路上力尽才中止，如今你却是给自己画下了停步的界限。”

子谓子夏曰：“女为君子儒，无为小人儒。”（6.13）

译文

孔子对子夏说：“你要做具备君子风度的儒，不要做只有小人器量的儒。”

子游为武城宰[1]。子曰：“女得人焉耳乎？”曰：“有澹台灭明者[2]，行不由径[3]，非公事，未尝至于偃之室也。”（6.14）

注释

[1]武城：鲁国城邑。　[2]澹台灭明：字子羽，《史记·仲尼弟子列传》列为孔子弟子。从本章看，当时或未从孔子问学。[3]行不由径：比喻澹台灭明行事端正。径，小路。或说兼有邪道之意。

译文

子游任武城的邑宰。孔子说："你在那儿求得贤才了吗？"子游说："有一个叫澹台灭明的人，他从不穿小道走捷径，如果没有公事，从不到我屋里来。"

子曰："孟之反不伐[1]，奔而殿[2]，将入门，策其马，曰：'非敢后也，马不进也。'"（6.15）

注释

[1]孟之反：鲁人夫孟之侧。《左传》哀公十一年载，鲁与齐战，鲁大败，孟之侧殿后。　[2]奔：兵败逃跑。殿：在军后称殿。军队战败而奔，以殿后为有功。

译文

孔子说："孟之反不夸耀自己功绩，兵败撤退，他留在最后掩护全军，将进城门时，他鞭打着马说道：'不是我敢于殿后，是因为马不肯前进。'"

子曰："不有祝鮀之佞[1]，而有宋朝之美[2]，难乎免于今之世矣[3]。"（6.16）

注释

[1]祝鮀：卫大夫，字子鱼，以口才著称。　[2]宋朝：宋公子朝，以美貌著称。　[3]免：避免，指免于祸事。

译文

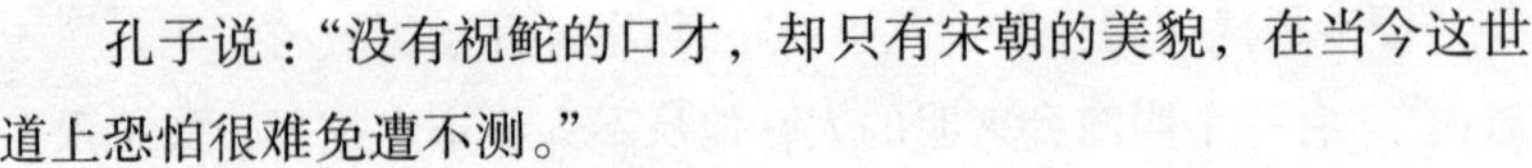

孔子说：“没有祝鮀的口才，却只有宋朝的美貌，在当今这世道上恐怕很难免遭不测。”

子曰：“谁能出不由户？何莫由斯道也？”（6.17）

译文

孔子说：“谁能不经房门走出屋子？为什么没人循着我这条道走呢？”

子曰：“质胜文则野，文胜质则史[1]。文质彬彬[2]，然后君子。”（6.18）

注释

[1] 史：浮夸。　[2] 文质彬彬：朱熹《论语集注》：“彬彬，犹班班，物相杂而适均之貌。”形容文质相应。

译文

孔子说：“质朴胜过文采，难免粗陋；文采胜过质朴，难免浮夸。只有文采与质朴相适相称，才是一位君子。”

子曰：“人之生也直，罔之生也幸而免[1]。”（6.19）

注释

[1]罔：诬罔。

译文

孔子说："人能生存，是由于正直。诬罔不直的人若能生存，他免遭祸事是侥幸。"

子曰："知之者不如好之者，好之者不如乐之者[1]。"（6.20）

注释

[1]钱穆《论语新解》："本章'之'字指学，亦指道。仅知之，未能心好之，知不笃。心好之，未能确有得，则不觉其可乐，而所好亦不深。譬之知其可食，不如食而嗜之，尤不如食之而饱。孔子教人，循循善诱，期人能达于自强不息欲罢不能之境，夫然后学之与道与我，浑然而为一，乃为可乐。"

译文

孔子说："知道的人不如爱好的人，爱好的人又不如乐在其中的人。"

子曰："中人以上，可以语上也[1]。中人以下，不可以语上也。"（6.21）

注释

[1]语：动词，告诉。

译文

孔子说："中等程度以上的人，可以跟他讲高深的道理。中等程度以下的人，不能跟他讲高深的道理。"

樊迟问知。子曰："务民之义[1]，敬鬼神而远之，可谓知矣。"问仁。曰："仁者先难而后获，可谓仁矣。"（6.22）

注释

[1]务：致力。

译文

樊迟问孔子什么是明智。孔子说："致力于人所应当做的事，对鬼神之事敬而远之，可以称得上明智。"又问什么是仁。孔子说："仁者出力时在人前，收获时在人后，可以称得上有仁德。"

子曰："知者乐水[1]，仁者乐山。知者动，仁者静。知者乐，仁者寿。"（6.23）

注释

[1]乐：旧读yào，喜爱。

译文

孔子说："智者喜爱水，仁者喜爱山。智者常动，仁者常静。智者快乐，仁者长寿。"

子曰："齐一变，至于鲁。鲁一变，至于道。"（6.24）

译文

孔子说："齐国的制度一改革，就可以变成鲁国的样子。鲁国的制度一改革，就可以合乎道义。"

子曰："觚不觚[1]，觚哉！觚哉！"（6.25）

注释

[1] 觚（gū）：酒器名。上圆下方，腹部有四条棱。何晏《论语集解》："言非觚也，以喻为政不得其道则不成。"

译文

孔子说："觚都不像个觚了，这还是觚啊！这还是觚啊！"

宰我问曰："仁者，虽告之曰：'井有仁焉[1]。'其从之也？"子曰："何为其然也？君子可逝也[2]，不可陷也[3]；可欺也[4]，不可罔也。"（6.26）

注释

[1] 仁：通“人”。或说指仁者。　　[2] 逝：前往。[3] 陷：陷害。　　[4] 欺：这里指以近情理的方式欺骗人。下句“罔”指以没有道理的事情迷惑人。即《孟子·万章上》所言“君子可欺以其方，难罔以非其道”。

译文

宰我问孔子：“有仁德的人，如果告诉他：‘井里有个人。’他会跟随下去救人吗？”孔子说：“为什么要这样做？可以让君子前往井边救人，却不可能陷害他白白落入井中；君子可能被合理的话欺骗，却不可能被无理的要求迷惑。”

子曰：“君子博学于文，约之以礼[1]，亦可以弗畔矣夫[2]。”（6.27）

注释

[1] 约之以礼：主要有两种解释。一、与《子罕第九》“夫子循循然善诱人，博我以文，约我以礼”（9.11）意同。意为君子以礼节约束自己。约，约束、节制。之，代君子。二、毛奇龄《论语稽求篇》以为两句不同，本章的“之”代“博学于文”，“彼之博约，是以文礼博约回。此之博约，是以礼约文，以约约博也”。即由博返约的意思。　　[2] 畔：通“叛”，违反。

译文

孔子说：“君子博览文献典籍，再根据礼使自己的学问由博返约，也就不会背离道了。”

子见南子[1]，子路不说。夫子矢之曰[2]：“予所否者[3]，天厌之！天厌之！”（6.28）

子见南子图

注释

[1] 南子：卫灵公夫人，史书记载其有淫行。 [2] 矢：发誓。 [3] 所：假设连词，假如，如果。

译文

孔子去见卫灵公的夫人南子，子路不高兴。孔子发誓道：“我假如做得不对，就让上天厌弃我吧！就让上天厌弃我吧！”

子曰：“中庸之为德也[1]，其至矣乎！民鲜久矣。”（6.29）

注释

[1] 中庸：朱熹《论语集注》：“中，无过无不及之名也。”何晏《论语集解》：“庸，常也。中和可常行之德。”

译文

孔子说：“中庸这样的道德，当是到达极致了吧！人们缺乏这种道德已经很久了。”

子贡曰：“如有博施于民而能济众，何如？可谓仁乎？”子曰：“何事于仁，必也圣乎！尧舜其犹病诸[1]！夫仁者，己欲立而立人，己欲达而达人，能近取譬[2]，可谓仁之方也已。”（6.30）

注释

[1] 其：副词，表推测，恐怕。病：难，这里是“以为难”的意思。

[2] 譬：譬喻。朱熹《论语集注》：“近取诸身，以己所欲譬之他人，知其所欲亦犹是也。然后推其所欲以及于人，则恕之事而仁之术也。”

译文

子贡说：“如果有人能做到广施恩惠，救济众人，这人怎么样？可以称得上仁吗？”孔子说：“何止是仁德，必定是圣德了！尧舜或许都怕难以做到啊！仁者，想自立也帮助别人立身，想自己通达也帮助别人通达，从切身处将心比心推己及人，可以说是为仁的方法。”

文史链接

孔颜乐处

北宋理学家程颢、程颐兄弟曾从大理学家、著名散文《爱莲说》的作者周敦颐（1017—1073）问学，周先生教他们“寻孔颜乐处，所乐何事”。

何谓“孔颜乐处”？孔子说“饭疏食，饮水，曲肱而枕之，乐亦在其中矣”，吃着粗粮，喝着凉水，把头枕在手臂上休息，其中也有快乐；孔子又赞叹颜回，“一箪食，一瓢饮，在陋巷，人不堪其忧，回也不改其乐”，只有简单的饭菜、简陋的居所，别人不堪忍受，颜回却不改他的快乐。生活得如此简单乃至于简陋，为何还能乐在其中？乐的又是何事？周濂溪教二程去寻“孔颜乐处”，就是要他们想明白其中的道理。

“孔颜乐处”是宋明理学的核心问题，宋代学者们大都认为孔颜二人所乐在心，而不在外界事物。钱穆先生申说道：“（孔颜之乐）是一种进取，其言曰：‘欲罢不能。既竭吾才，如有所立卓尔。虽欲从之，末由也已。’此是颜子一种最高之追求，亦是一种无限之进取。绝非当身一种眼前享受。然亦无外面条件限止，所以为真可乐。”（钱穆《孔子之心学》）

《中庸》与“四书”

儒家典籍《礼记》中有一篇叫《中庸》。相传作者是孔子的后裔子思，后来又经过秦代学者的修改和整理。《中庸》历来为人所重，

宋代学者更是将它提到突出的地位上来讨论。南宋朱熹把《中庸》和《大学》从《礼记》中单独抽出，与《论语》、《孟子》合为“四书”并为之作注，题称《四书章句集注》。这部书是后代科举考试的标准教材，在明清两代有广泛的影响。

《中庸》是儒家阐述“中庸之道”的理论著作。郑玄注云：“中庸者，以其记中和之为用也。”中是中和，庸是用。简而言之，中庸思想的要旨有二，一是行事不偏不倚，无过不及；二是凡事以和为贵，与己相和、与人相和、与天时自然相和。

齐国与鲁国

齐国的境土在今天的山东北部。齐国的宗祖是周文王、周武王的谋臣姜子牙，武王克商后被封为侯。周武王死后，有几个诸侯起兵作乱，姜太公受命征伐东方叛乱诸国，齐的土地由此得以扩充：南接鲁，东临海，西至河，成为一个大国。太公重视商业，加上靠海，齐国的渔业和盐业都很发达。对于周朝那一套繁文缛节，太公则抱着能省便省的态度，绝不强求当地人改风易俗。齐国在开放而轻松的氛围中日益富庶，远近来归。

鲁国是周武王的弟弟周公姬旦的封地。周公要留在武王、成王身边辅政，所以由他的儿子伯禽前去鲁地就封。据《史记》记载，伯禽去齐三年才回来向周公汇报，问他迟来的缘由，他说：“变其俗，革其礼，丧三年然后除之，故迟。”周公想起了不易民风，只用了五个月便能回来报告政绩的姜太公，感叹道：“鲁后世其北面事齐矣！”

周公的预言成真，鲁国日后确实受制于齐，在国力上始终是一个弱国。但在文化上，鲁国可以说是列国中最高的。在周室衰微的春秋时代，鲁人仍然小心翼翼地遵守着代表周朝文化的周礼，并且当做一门重大的学问去讲习。鲁人的重礼在齐人看来有些不可理喻。有一次鲁昭公和齐君会盟，齐君对他叩头，他却只作揖还礼。齐人大怒，鲁国相礼的大夫解释道：依礼，国君不能叩头，除非是对天子。当时的齐国是一等的强国，鲁国对齐不知割了多少地，服了多少兵役，然而只因为周礼中没有，这一次磕头毫不妥协。这事齐人一直记得，数年之后，他们把昭公请去齐国会盟，监督着他叩头。鲁昭公无奈，只能照办。齐人甚至把这事编成一首歌来嘲笑鲁人守礼的迂腐与可笑。

而在迂腐与可笑的另一面，鲁国却也继承了周朝文化中的精髓。周王室自西周末年几经动乱，典籍失散。晋国的韩宣子来到鲁国，看到鲁国的藏书，便说“周礼尽在鲁矣”。吴国的公子季札走访诸国，来到鲁国时特别请求听奏各种“周乐”，可见“周乐”亦“尽在鲁矣”。所以孔子说“鲁一变，至于道”。他所崇尚的周朝礼乐，几乎只有在鲁国才能依稀重温它昔日的辉煌。

思考讨论

请结合你学习一门课程或是一种技艺的经验，谈谈你对“知之者不如好之者，好之者不如乐之者”的体会。

述而第七

子曰："述而不作[1]，信而好古，窃比于我老彭[2]。"（7.1）

注释

[1]述：传述。作：创作，创始。　　[2]老彭：商代贤大夫。或说指老子和彭祖。或说指彭祖。

译文

孔子说："传述旧说而不自立新说，笃信且喜爱古代的文化，我私下里把自己和老彭相比。"

子曰："默而识之[1]，学而不厌，诲人不倦，何有于我哉[2]？"（7.2）

注释

[1]识：通"志"，记住。　　[2]何有于我哉：一说是孔子的自谦，即我能做到哪一点。一说孔子尝言"不如丘之好学也"(《公冶长第五》5.28)，"抑为之不厌，诲人不倦，则可谓云尔已矣"(《述而第七》7.34)，皆以学与诲为己任，应当理解为此三者于我有何难。

译文

孔子说："所见所闻默记于心，爱好学习而不厌弃，教诲别人而不倦怠，这些对我来说有什么呢？"

子曰："德之不修，学之不讲，闻义不能徙[1]，不善不能改，是吾忧也。"（7.3）

注释

[1] 徙：迁往。

译文

孔子说："品德不培养，学问不讲习，听闻道义不能相从，犯下过失不能改正，这都是我所担忧的。"

子之燕居[1]，申申如也[2]，夭夭如也[3]。（7.4）

注释

[1] 燕居：闲居。　[2] 申申：整饬的样子。　[3] 夭夭：和舒的样子。

译文

孔子闲居时，仪表整齐端庄，神色温和舒畅。

子曰："甚矣，吾衰也！久矣，吾不复梦见周公[1]！"（7.5）

注释

[1] 周公：姓姬，名旦，周武王的弟弟，相传他创制了周代礼乐，是孔子最敬服的古代圣人之一。

译文

孔子说："我老得这样厉害啊！我已经很久没有梦见周公了！"

子曰："志于道，据于德[1]，依于仁，游于艺[2]。"（7.6）

注释

[1] 据：据守，执守。或说依据。 [2] 游：优游，从容地玩味。艺：指礼、乐、射、御、书、数六艺。

译文

孔子说："立志于道，据守于德，依从于仁，优游于艺。"

子曰："自行束脩以上[1]，吾未尝无诲焉。"（7.7）

注释

[1] 束脩（xiū）：古代用作初次拜见的见面礼。一束脩为十条干肉。脩，干肉。

译文

孔子说："只要带来了起码的见面礼，我没有不予以教诲的。"

子曰：“不愤不启[1]，不悱不发[2]。举一隅不以三隅反[3]，则不复也[4]。”（7.8）

注释

[1] 愤：朱熹《论语集注》：“心求通而未得之意。” [2] 悱（fěi）：朱熹《论语集注》：“口欲言而未能之貌。” [3] 三隅（yú）反：一方四角，提示其一可以推知其三，触类旁通。隅，角。[4] 复：重复，指再次相告。

译文

孔子说：“不到他心里想求明白却想不通的时候，我不开导他。不到他口中有话却说不出的时候，我不启发他。举出一方的道理，他若不能由此推知其他三方，我便不再相告了。”

子食于有丧者之侧，未尝饱也。（7.9）

译文

孔子在有丧事的人身旁进食，从不会吃饱。

子于是日哭[1]，则不歌。（7.10）

注释

[1] 是日：指吊丧之日。

译文

孔子在一天里吊丧哭过，便不再唱歌。

子谓颜渊曰："用之则行，舍之则藏，惟我与尔有是夫！"子路曰："子行三军[1]，则谁与？"子曰："暴虎冯河[2]，死而无悔者，吾不与也。必也临事而惧[3]，好谋而成者也。"（7.11）

注释

[1] 行三军：统率三军。古时候大国有三军，一万二千五百人为一军。行，率领。　[2] 暴虎冯（píng）河：徒手搏虎，徒步渡河。[3] 惧：指因有所顾虑而慎重行事。

译文

孔子对颜渊说："受任用便施行自己的主张，不受任用便隐藏自己的才能，只有我和你可以这样吧！"子路说："如果老师统率三军，要谁一起去？"孔子说："徒手搏虎，徒步渡河，因此丧命却不后悔的人，我不和他共事。必须是临事时有所顾虑，善于谋划且有把握成功的人。"

子曰："富而可求也[1]，虽执鞭之士[2]，吾亦为之。如不可求，从吾所好。"（7.12）

注释

[1] 而：假设连词，如果。　[2] 执鞭：在当时是贱职，有两说，一是在王侯出行时执鞭开道，一是执鞭在市朝守门。

译文

孔子说："财富要是求得到，即使是执鞭的低贱职务，我也可以去做。要是求不到，那就做我喜欢的事吧。"

子之所慎：齐[1]，战，疾。（7.13）

注释

[1]齐：同"斋"。古人在祭祀之前洁净身心以示庄敬。

译文

孔子所慎重的事有：斋戒、战争、疾病。

子在齐闻《韶》，三月不知肉味，曰："不图为乐之至于斯也。"（7.14）

在齐闻韶图

译文

孔子在齐国听到《韶》乐，很长时间尝不出肉的滋味，说："没想到音乐可以美到这样的地步。"

冉有曰："夫子为卫君乎[1]？"子贡曰："诺。吾将问之。"入，曰："伯夷、叔齐何人也[2]？"曰："古之贤人也。"曰："怨乎？"曰："求仁而得仁，又何怨？"出，曰："夫子不为也。"（7.15）

注释

[1] 为：赞成，帮助。卫君：指卫出公辄，卫灵公之孙，太子蒯（kuǎi）聩之子。蒯聩因得罪其继母南子，出奔宋。灵公卒，立辄为君。晋国赵简子纳蒯聩，企图送他回国，并借机侵卫，卫国出兵抵抗，拒绝蒯聩回卫。　[2] 伯夷、叔齐：见《公冶长第五》5.23 注［1］。孔子既然褒扬伯夷、叔齐兄弟二人以国君之位相谦让，也就不会赞同蒯聩、卫出公父子二人争夺君位的行为。

译文

冉有说："老师会帮助卫君吗？"子贡说："好。我去问问。"子贡走进去，问孔子："伯夷、叔齐是怎样的人？"孔子说："是古时候的贤人。"子贡说："他们有过怨悔吗？"孔子说："他们求仁德也得到了仁德，又有什么可怨悔的？"子贡出来，说："老师不会帮助卫君。"

子曰："饭疏食[1]，饮水，曲肱而枕之[2]，乐亦在其中矣。不义而富且贵，于我如浮云。"（7.16）

注释

[1] 饭：作动词，吃。疏食：即粗食。　　[2] 肱：胳膊。

译文

孔子说："吃粗食，喝生水，弯着胳膊当枕头，乐趣也就在其中啊。靠不正当手段谋得的富贵，在我看来好像浮云。"

子曰："加我数年[1]，五十以学《易》[2]，可以无大过矣。"（7.17）

注释

[1] 加：增加。　　[2]《易》：《周易》。历来也有学者据《鲁论》作"亦"，连下读作"亦可以无大过矣"。

译文

孔子说："再多给我几年，五十岁时学习《周易》，就不会有大的过错了。"

子所雅言[1]，《诗》、《书》、执礼，皆雅言也。（7.18）

注释

[1] 雅言：正言，即当时通行的语言。

译文

孔子用通行语言的场合，诵读《诗》、《书》以及执行礼事，都是用通行的语言。

叶公问孔子于子路[1]，子路不对。子曰：“女奚不曰，其为人也，发愤忘食，乐以忘忧，不知老之将至云尔[2]。”（7.19）

注释

[1] 叶：旧读 shè。楚国的一个县。叶公即当地的县尹沈诸梁。
[2] 云：如此，这样。尔：通“耳”，而已，罢了。

译文

叶公向子路问孔子为人如何，子路不回答。孔子说：“你为什么不说，他这个人用功就忘了吃饭，快乐就忘了忧愁，都不知道自己行将进入暮年了，如此而已。”

子曰：“我非生而知之者，好古，敏以求之者也[1]。”（7.20）

注释

[1] 敏：勤勉。

译文

孔子说："我不是生来就知道的人，而是爱好古代文化，勤勉求知的人。"

子不语怪力乱神[1]。（7.21）

注释

[1]怪力乱神：一说分指四事。怪，怪异之事；力，勇力惊人之事；乱，弑君弑父等悖乱之事；神，神鬼之事。或说怪力是一事，乱神是一事。皇侃《论语义疏》引李充言："力不由理，斯怪力也。神不由正，斯乱神也。怪力乱神，有兴于邪，无益于教，故不言也。"

译文

孔子不谈怪异、强力、叛乱、鬼神。

子曰："三人行，必有我师焉。择其善者而从之，其不善者而改之。"（7.22）

译文

孔子说："三个人走在一起，其中必定有值得我借鉴的人。我择取他们的优点加以效法，对照他们的缺点加以改正。"

子曰："天生德于予，桓魋其如予何[1]**？"**（7.23）

注释

[1] 桓魋(tuí):宋人司马向魋,桓公后代,故称桓魋。《史记·孔子世家》记载:"孔子去曹,适宋,与弟子习礼大树下,宋司马桓魋欲杀孔子,拔其树。孔子去,弟子曰:'可以速矣。'孔子曰:'天生德于予,桓魋其如予何?'"

译文

孔子说:"上天赋予了我这样的品德,桓魋能把我怎么样?"

子曰:"二三子以我为隐乎[1]?吾无隐乎尔。吾无行而不与二三子者,是丘也。"(7.24)

注释

[1] 二三子:指孔门弟子。隐:隐匿。

译文

孔子说:"你们以为我有所隐藏吗?我对你们并没有隐藏啊。我没有任何行为不对你们公开,这就是我孔丘。"

子以四教:文,行[1],忠,信。(7.25)

注释

[1] 行:德行。

译文

孔子以四项内容教育学生：学习典籍，培养德行，待人忠诚，做事守信。

子曰："圣人，吾不得而见之矣，得见君子者，斯可矣。"子曰："善人，吾不得而见之矣，得见有恒者，斯可矣。亡而为有[1]，虚而为盈，约而为泰[2]，难乎有恒矣。"（7.26）

注释

[1]亡：通"无"。　　[2]泰：奢侈。

译文

孔子说："圣人我见不到，能见到君子就可以了。"孔子说："善人我见不到，能见到有恒心的人就可以了。没有装作有，空虚装作充盈，贫困装作奢侈，这样很难保持恒心。"

子钓而不纲[1]，弋不射宿[2]。（7.27）

注释

[1]纲：用大绳横截水流，在绳上系多个钩子来钓鱼。

[2]弋（yì）：用系着生丝的箭射禽鸟。宿：宿鸟，栖息在巢中的鸟。

译文

孔子用鱼竿钓鱼，不用长绳横截河流捕鱼；用系着生丝的箭射飞鸟，但不射栖息在巢中的鸟。

子曰："盖有不知而作之者，我无是也。多闻，择其善者而从之，多见而识之[1]。知之次也[2]。"（7.28）

注释

[1] 识：通"志"，记住。　　[2] 知之次：指次于"生而知之者"的"学而知之者"。《季氏第十六》有"生而知之者，上也。学而知之者，次也"（16.9）。

译文

孔子说："大概有无知却妄自创作的人吧，我不会如此。多听，择取好的部分接受；多见，把它们记在心里。这仅次于生而知之。"

互乡难与言[1]，童子见，门人惑。子曰："与其进也[2]，不与其退也。唯何甚！人絜己以进[3]，与其絜也，不保其往也[4]。"（7.29）

注释

[1] 互乡：地名。难与言：难以交流。旧注说互乡人言语自专，自以为是。或说其人习于不善，难与言善。　　[2] 与：赞许。[3] 絜（jié）：同"洁"。　　[4] 保：守，固守。

译文

互乡的人难以交流，一个童子却得到孔子的接见，弟子们对此疑惑不解。孔子说："鼓励一个人的进步，不鼓励他的退步。何必那么过分！一个人知道修治己身以求进步，应该鼓励他改过自新，不必老念着他以往的行径。"

子曰："仁远乎哉？我欲仁，斯仁至矣。"[1]（7.30）

注释

[1]朱熹《论语集注》："仁者，心之德，非在外也。放而不求，故有以为远者；反而求之，则即此而在矣，夫岂远哉？"

译文

孔子说："仁道远吗？我想要仁，仁便来了。"

陈司败问[1]："昭公知礼乎[2]？"孔子曰："知礼。"孔子退，揖巫马期而进之[3]，曰："吾闻君子不党，君子亦党乎？君取于吴，为同姓[4]，谓之吴孟子[5]。君而知礼，孰不知礼？"巫马期以告。子曰："丘也幸，苟有过[6]，人必知之。"（7.31）

注释

[1]陈司败：齐国大夫，事迹无可考。　[2]昭公：鲁昭公姬裯，襄公庶子。　[3]巫马期：孔子弟子，姓巫马，名期，字子期。

进之：使之进，即陈司败使巫马期走进一步。 [4]“君取”二句：取，同“娶”。吴，吴国，泰伯之后，姬姓。鲁也是姬姓。按周礼，同姓不婚，鲁昭公娶于吴是违礼。 [5]谓之吴孟子：国君夫人的称号一般以国名加上本姓，昭公夫人当称“吴姬”，隐去“姬”而称吴孟子（因其为长女，故称孟子），是讳言鲁君违礼。 [6]苟有过：有旧注说孔子并非不知昭公违礼，而是为国君讳，所以不能辩白，只能归过于己。

译文

陈司败问孔子：“鲁昭公知礼吗？”孔子说：“知礼。”孔子走出来，陈司败向巫马期作揖，并请他走近一步，说：“我听说君子不偏私，君子也会偏私吗？昭公娶吴女为夫人，吴国和鲁国是同姓国，只得隐去姓称她为吴孟子。如果昭公知礼，还有谁不知礼？”巫马期把这番话告诉了孔子。孔子说：“我很幸运，如果我犯了错，别人一定知道。”

子与人歌而善，必使反之，而后和之。（7.32）

译文

孔子和别人一起唱歌，如果唱得好，一定请那人再唱一遍，然后自己跟着他唱。

子曰：“文，莫吾犹人也[1]，躬行君子[2]，则吾未之有得。”（7.33）

注释

[1]文，莫吾犹人也：文，指文献。莫，或说是否定词，或说是疑词，意为文献上的知识，我不如别人，或与别人差不多。或说文莫是一个词，意为勉强。　[2]躬：亲自。

译文

孔子说："就书本知识而言，我大概和别人差不多吧，至于亲身实践去做一位君子，我还没做到。"

子曰："若圣与仁，则吾岂敢？抑为之不厌[1]，诲人不倦，则可谓云尔已矣。"公西华曰："正唯弟子不能学也。"（7.34）

注释

[1]抑：表示转折的连词，相当于只是。

译文

孔子说："说到圣和仁，我怎么敢当？也不过就是不断学习不曾厌弃，教诲别人不觉疲倦，可以说不过如此而已。"公西华说："这正是弟子们学不到的。"

子疾病[1]，子路请祷。子曰："有诸？"子路对曰："有之。《诔》曰[2]：'祷尔于上下神祇[3]。'"子曰："丘之祷久矣[4]。"（7.35）

注释

[1]疾病：指病重。　[2]诔（lěi）：这里指祷篇名，是前人祷告于鬼神的文辞，而非哀悼死者的诔文。　[3]祇（qí）：地神。　[4]丘之祷久矣：何晏《论语集解》引孔安国注："孔子素行，合于神明，故曰丘之祷久矣。"

译文

孔子病重，子路向鬼神祷告。孔子说："有这样的事吗？"子路说："有。《诔》中说：'为你向天地间的神灵祷告。'"孔子说："我长久以来就在祈祷了。"

子曰："奢则不孙[1]，俭则固[2]。与其不孙也，宁固。"（7.36）

注释

[1]孙：同"逊"。　[2]固：固陋。

译文

孔子说："奢侈则显得不谦虚，俭省则难免固陋。与其不谦虚，宁可固陋。"

子曰："君子坦荡荡[1]，小人长戚戚[2]。"（7.37）

注释

[1]荡荡：宽广的样子。　[2]戚戚：与"荡荡"相对，狭促的样子。或说忧惧的样子。

译文

孔子说："君子襟怀坦荡，小人心胸狭隘。"

子温而厉[1]，威而不猛，恭而安。（7.38）

注释

[1] 厉：严肃。

译文

孔子温和而严肃，有威仪而不刚猛，恭顺而安详。

文史链接

韦编三绝

孔子好学，晚年仍然勤奋读书。《史记》说"（孔子）读《易》，韦编三绝"。韦，是一种柔软的熟牛皮。这是说孔子晚年喜欢读《易》，翻阅了一遍又一遍，串联竹简的牛皮因此给磨断了许多次。

春秋时书的形制与现在有很大差别。那时还没有发明纸张，人们把竹子破成一根根竹片，用火烘干后在上面写字。这种竹片称为"竹简"，一根竹简最多能写几十字。竹简之间用绳子编连，通常用丝线编连的叫"丝编"，用麻线编连的叫"麻编"，用熟牛皮编连的叫"韦编"。

"韦编三绝"后来成为一个成语，用来称赞刻苦读书的好学精神。"韦编"也可以用作一般古籍的代称。

《尚书》和"五经"

《尚书》，也称《书》，是儒家经典之一，又称《书经》。"尚"与"上"通，《尚书》一般认为是指上古之书。

《尚书》是一部古代历史文献汇编，今本《尚书》包括《虞书》、《夏书》、《商书》、《周书》四部分，辑录了春秋以前历代史官所藏的文书。体例上分为典、谟、训、诰、誓、命，主要内容则不外乎政府的文告、君王的命令、主上的誓词和贵族的训诫。

秦焚书，《尚书》在其列，因而流传至汉代的《尚书》历来有今文与古文、真与伪的纷争。简而言之，汉初有一种传本由经师记诵、保存、教授，并用当时通行的隶书写成，称为今文《尚书》，共二十八篇。当时另有用秦以前的古文字写成的传本，称为古文《尚书》，但汉以后全都散佚。东晋时有人献出古文《尚书》，便是出于伪造。现在通行的《十三经注疏》本《尚书》就是《今文尚书》与伪《古文尚书》的合编，共五十八篇。

《尚书》是"五经"之一，所谓"五经"，即是指《诗》、《书》、《礼》、《易》、《春秋》五部典籍，相传是孔子授徒的基本教材。孔子同时注重培养弟子们的音乐能力，这五项内容加上《乐》，合称为"六艺"。后世儒生师弟相传，莫不以此为本。

在传授过程中形成的解说经书、阐发经义的学问，便是经学。汉武帝时，经只有五部。各种学派注释经书的著作称为传，如解释《春秋》的有《左氏传》、《公羊传》、《谷梁传》，解释《诗》的有《毛传》。到唐代时，经扩展为九部。唐以科举取士，明经科中列有三礼、三传，连同《诗》、《书》、《易》，共九经。其中三礼是指《周礼》、《仪礼》、《礼记》，三传则是上述三部解释《春秋》的著作。唐文宗开成二年（837）刻石经，《论语》、《孝经》、《尔雅》三部书亦在其列；至南宋，《孟子》也升为经，加上唐时的九经，合为十三经。这十三部典籍是研究我国古代史与儒家思想史的重要资料。

思考讨论

请谈谈你理解的孔子对学习的态度。

泰伯第八

子曰："泰伯[1]，其可谓至德也已矣。三以天下让[2]，民无得而称焉。"（8.1）

注释

[1]泰伯：或作太伯，周太王长子。周太王有三子，长太伯，次仲雍，次季历。季历生子姬昌（周文王），有盛德，太王欲传位季历以及昌。太伯于是偕仲雍出走荆蛮，将君位让给季历和昌。[2]三：指太伯曾三度让国。或说指多次，表示辞让态度坚决。

译文

孔子说："泰伯，那可以说是品德最高尚的了。他屡次把天下让给季历，人民甚至不知道该怎样称赞他。"

子曰："恭而无礼则劳，慎而无礼则葸[1]，勇而无礼则乱，直而无礼则绞[2]。君子笃于亲[3]，则民兴于仁。故旧不遗，则民不偷[4]。"（8.2）

注释

[1]葸（xǐ）：畏惧。　[2]绞：乖戾，急切。　[3]君子：

指在位者。有旧注认为“君子”以下与前文事理、文势皆不相类，应自为一章。　　[4]偷：这里指人情淡薄。

译文

孔子说：“只知恭敬而不知礼，难免劳苦；只知谨慎而不知礼，难免怯懦；盲目勇敢而不符合礼，难免莽撞；盲目直爽而不符合礼，难免尖刻。在上位的人对亲人厚道，百姓间自然兴起仁义的民风；在上位的人不遗弃故人，百姓便不会淡漠绝情。

曾子有疾，召门弟子曰：“启予足[1]，启予手。《诗》云：‘战战兢兢，如临深渊，如履薄冰[2]。’而今而后，吾知免夫[3]，小子[4]！”（8.3）

注释

[1]启：看。或说开启，指开衾或是展平手足。　　[2]“战战兢兢”三句：出自《诗经·小雅·小旻》。　　[3]吾知免夫：有旧注说曾子以为身体发肤受之父母，不敢毁伤；君子不论在乱世还是在治世，都应尽力避免刑戮。因而生前小心翼翼，临终方免。[4]小子：对门人的称呼。

译文

曾子得了病，召集门下的弟子说：“你们掀开被子看看我的脚，看看我的手。《诗》里说：‘战战兢兢，好像临近深渊旁，好像走在薄冰上。’从今以后，我才知道自己能免于身体毁伤的担忧了，学生们啊！”

曾子有疾，孟敬子问之[1]。曾子言曰："鸟之将死，其鸣也哀。人之将死，其言也善。君子所贵乎道者三[2]：动容貌[3]，斯远暴慢矣；正颜色，斯近信矣；出辞气，斯远鄙倍矣[4]。笾豆之事[5]，则有司存[6]。"（8.4）

注释

[1] 孟敬子：鲁国大夫仲孙捷。 [2] 君子：一说指在位者，后文的"斯远暴慢矣"、"斯近信矣"、"斯远鄙倍矣"是指他人对自己的态度。一说指有德者，则上述三句话都是就自身修养而言。[3] 动容貌：这里指整肃自己的仪容外貌。动，改变。 [4] 鄙：鄙陋。倍：通"背"，指违背事理。 [5] 笾（biān）豆之事：泛指礼仪中的细节。笾，竹制器皿，祭祀时用来盛放果品。豆，木制器皿，祭祀时用来盛有汁的食物。 [6] 有司：指各司其职、负责具体事务的小官吏。

译文

曾子得了病，孟敬子来探望。曾子说："鸟快死去时，它的叫声悲哀。人快死去时，他的言辞恳切。在位者应该重视三个准则：整肃自己的仪容外貌，就可以避免别人对自己粗暴和轻慢；端正自己的神态和脸色，就容易让人信任；注意自己的言辞和语调，就能避免别人恶言相向。至于礼仪的细节，自然有专门的礼官负责。"

曾子曰："以能问于不能，以多问于寡；有若无，实若虚，犯而不校[1]。昔者吾友尝从事于斯矣[2]。"（8.5）

注释

[1] 校（jiào）：计较。　　[2] 吾友：旧注多以为是指颜回。

译文

曾子说："能力强却向无能的人求教，见识广却向见识少的人求教；有学识却像是没有学识，饱读诗书却像是一无所知，被人冒犯却不计较。过去我的一位朋友曾是这样做的。"

曾子曰："可以托六尺之孤[1]，可以寄百里之命[2]，临大节而不可夺也[3]。君子人与？君子人也。"（8.6）

注释

[1] 托六尺之孤：六尺一般指十五岁以下的人。意为受君主遗命辅佐幼主。　　[2] 寄百里之命：指摄国政。　　[3] 大节：指关乎国家安危的大事。夺：倾夺，动摇。

译文

曾子说："可以受托辅佐幼主，可以受命摄理国政，面临社稷存亡的关头毫不动摇。这样的人是君子吗？是君子啊。"

曾子曰："士不可以不弘毅[1]，任重而道远。仁以为己任，不亦重乎？死而后已，不亦远乎？"（8.7）

注释

[1]弘毅：朱熹《论语集注》："弘，宽广也。毅，强忍也。非弘不能胜其重，非毅无以致其远。"或说弘毅即强毅。章太炎《广论语骈枝》："《说文》：'弘，弓声也。'后人借'强'为之，用为'强'义。此'弘'字即今之'强'字也。《说文》：'毅，有决也。'任重须强，不强则力绌；致远须决，不决则志渝。"

译文

曾子说："读书人不可以不宽宏刚强，因为他肩负重担而路途遥远。以行仁道为己任，担子不是很沉重吗？至死才停止前行，路途不是很遥远吗？"

子曰："兴于《诗》，立于礼，成于乐。"（8.8）

译文

孔子说："启蒙于《诗》，立身于礼，完善于乐。"

子曰："民可使由之[1]，不可使知之。"（8.9）

注释

[1]由：遵循。

译文

孔子说："可以使百姓遵循我们，却不可使他们知道为何遵循我们。"

子曰："好勇疾贫，乱也。人而不仁，疾之已甚，乱也[1]。"（8.10）

注释

[1]"疾之"二句：这里是说恨之太过，使之无处容身，反招致祸乱。疾，厌恶、憎恨。

译文

孔子说："好逞武力而厌恶贫困，这样的人会作乱。对不仁的人恨之太深，也会招致祸乱。"

子曰："如有周公之才之美，使骄且吝，其余不足观也已。"（8.11）

译文

孔子说："若是一个人才能的美好堪比周公，假如他骄傲而且吝啬，其他的方面也就不值得一看了。"

子曰："三年学，不至于谷[1]，不易得也[2]。"（8.12）

注释

[1]谷：代指俸禄，古代以谷米作为官员俸禄。　[2]不易得：难得。有赞许的意思。

译文

孔子说："学习三年却没想过当官，这很难得啊。"

子曰："笃信好学，守死善道。危邦不入，乱邦不居。天下有道则见[1]，无道则隐[2]。邦有道，贫且贱焉，耻也。邦无道，富且贵焉，耻也。"（8.13）

注释

[1] 见（xiàn）：出现。　　[2] 隐：这里指守道而隐居。

译文

孔子说："深信正道，爱好学习它，至死坚守它。不进入将有危险的国家，不居留发生动乱的国家。天下太平便出来推行正道，天下危乱便隐居起来。国家政治清平，自己困于贫贱，这是耻辱。国家政治昏暗，自己安享富贵，这也是耻辱。"

子曰："不在其位，不谋其政。"（8.14）

译文

孔子说："不处在那个职位上，便不考虑那个职位上的政务。"

子曰："师挚之始[1]，《关雎》之乱[2]，洋洋乎盈耳哉！"（8.15）

注释

[1]师挚：鲁国乐师，名挚。始：乐之始。古代奏乐以升歌为始。[2]乱：乐之终。乐曲终于合乐。乐曲从“始”至“乱”叫做一成。

译文

孔子说：“自乐师挚开始演奏，到《关雎》一曲乐终，满耳都是恢弘的音乐啊！”

子曰：“狂而不直，侗而不愿[1]，悾悾而不信[2]，吾不知之矣[3]。”（8.16）

注释

[1]侗（tóng）：无知。愿：谨慎。　　[2]悾（kōng）悾：无能的样子。或说诚恳的样子。　　[3]吾不知之矣：狂放者一般比较直爽，无知者一般比较谨慎，愚者一般比较守信。上述三者都与常情相反，故孔子言“吾不知之”，是深恶之辞。

译文

孔子说：“狂放却不直爽，无知却不谨慎，无能却不守信，我真不知道人怎么会这样。”

子曰：“学如不及，犹恐失之。”（8.17）

译文

孔子说：“学习就像担心追赶不上什么，追上了又担心失去。”

子曰：“巍巍乎[1]！舜禹之有天下也[2]，而不与焉[3]！”（8.18）

注释

[1] 巍巍乎：高大的样子。　[2] 舜禹：传说中上古虞、夏二代的帝王。尧禅让帝位给舜，舜禅让帝位给禹。　[3] 不与：意为舜禹任贤使能，不亲预政事，无为而治。或说不与即不相关，意为舜禹有天下，一心为公，不以此为乐，好像与己无关。

译文

孔子说：“多么崇高啊！舜和禹享有天下，自己不多作为而天下大治。”

子曰：“大哉尧之为君也！巍巍乎！唯天为大，唯尧则之[1]。荡荡乎[2]！民无能名焉。巍巍乎其有成功也，焕乎其有文章[3]！”（8.19）

注释

[1] 则：效法。　[2] 荡荡乎：广远的样子。　[3] 焕乎：光明的样子。

译文

孔子说：“尧作为君王是多么伟大啊！崇高啊！唯有天道最为高远，唯有尧能效法天道。广大啊！他的功德百姓无法形容。他的功绩多么崇高，他的礼制多么灿烂！”

舜有臣五人而天下治。武王曰[1]："予有乱臣十人[2]。"孔子曰："才难，不其然乎？唐虞之际，于斯为盛。有妇人焉，九人而已。三分天下有其二[3]，以服事殷。周之德，其可谓至德也已矣。"（8.20）

注释

[1] 武王：周武王姬发，讨伐商纣王，建立周朝。　[2] 乱臣：治国之臣。乱，治。　[3] 三分天下有其二：一说当时天下九州，归文王者六州。一说三、二都是虚数，意为天下大半归于周文王。

译文

舜有五位贤臣而天下大治。武王说："我有十位治国之臣。"孔子说："人才难得啊，不是吗？自唐尧、虞舜之间，到周武王说那番话时，人才是最兴盛的。武王的十人中有一位是妇女，只有九人而已。天下人心大半归于周文王，周邦仍然向殷商称臣。周的德行，可以说是至高的德行了。"

子曰："禹，吾无间然矣[1]。菲饮食而致孝乎鬼神[2]，恶衣服而致美乎黻冕[3]，卑宫室而尽力乎沟洫[4]。禹，吾无间然矣。"（8.21）

注释

[1] 间（jiàn）：非议。　[2] 致孝乎鬼神：指祭祀时祭品丰

盛，以尽孝敬鬼神之心。　[3] 黻（fú）：祭祀时穿的礼服。冕：祭祀或上朝时戴的礼帽。　[5] 沟洫（xù）：田间用于灌溉的水道。这里指水利工程。

译文

孔子说："禹，我对他没什么可议论的。他饮食菲薄，却用丰盛的祭品孝敬鬼神；平日穿得简朴，祭祀时的礼服却极为华美；住在简陋的房子里，却尽心尽力建造沟渠水利。禹，我对他没什么可议论的。"

文史链接

周　公

周公是周文王的儿子、周武王的弟弟，名姬旦，是一位杰出的政治家。武王灭商后两年就病死了，他的儿子成王继位时还太年轻，于是由周公代管国家政事。当时一些大臣以为周公别有用心，周武王另外两个弟弟管叔和蔡叔对他更是怀疑。一时间谣言四起，说周公要谋害成王，夺权篡位。商纣王的儿子（武王把他封在原来的商都，治理殷商的遗民）便趁机煽动被派来监管他的管叔和蔡叔，联合效忠于殷商的残余势力，一同起兵反周。

周公像

周公亲自领兵平定叛乱，

前后耗去三年。之后他再次分封诸侯去管理周朝势力所及的每块土地，并且从政治到文化方面制定了一套完整的典章制度来维持这种统治。

周公摄政的第七年，国家渐渐步入正轨，成王也长大了，于是他把政权全部交还给成王。周公在国难当头时挺身而出，担当起执政的重任；当国家转危为安时又毅然让出了权力，这种无私无畏的精神始终被后代称颂。

思考讨论

孔子对尧、舜、禹有怎样的评价？

子罕第九

子罕言利与命与仁[1]。（9.1）

注释

[1]罕：稀少。利、命、仁：朱熹《论语集注》引程子曰："计利则害义，命之理微，仁之道大，皆夫子所罕言也。"

译文

孔子很少谈到利益、命运和仁德。

达巷党人曰[1]："大哉孔子！博学而无所成名[2]。"子闻之，谓门弟子曰："吾何执？执御乎[3]？执射乎？吾执御矣[4]。"（9.2）

注释

[1]达巷党：一个叫达的巷党。　[2]博学而无所成名：赞美孔子博学，而惜其不以一技一艺成名。　[3]御：驾车。　[4]吾执御矣：御和射都是六艺之一，执御者地位较卑。或说是孔子自谦之辞。

译文

达巷党的一个人说：“孔子真伟大啊！学识渊博，然而不能以一技之长成名。”孔子听了这话，对门下的弟子们说：“我若是专执一门技艺，会是哪种呢？是驾车呢，还是射箭呢？我还是驾车吧。”

子曰：“麻冕[1]，礼也，今也纯[2]，俭，吾从众。拜下[3]，礼也，今拜乎上[4]，泰也[5]，虽违众，吾从下。”（9.3）

注释

[1]麻冕：礼帽。积麻三十升以为冕，一升八十缕，即二千四百缕线。麻质粗，织起来较费事。 [2]纯：黑色的丝，质细易织。 [3]拜下：在堂下行礼。古时臣子拜见君主，先在堂下行拜礼，君主辞让，然后臣子升堂，再行一次拜礼。 [4]拜乎上：直接在堂上行拜礼，即省去在堂下的行礼。 [5]泰：骄泰。

译文

孔子说：“礼帽用麻织成是合于礼的，现在却用黑色的丝来织礼帽，这样能省些工夫，因此我同意大家的做法。臣子拜见君主，先在堂下行拜礼是合于礼的，现在却省去这个步骤直接在堂上行拜礼，这样做是出于傲慢，因此虽然违背众人，我仍坚持先在堂下行拜礼。”

子绝四[1]：毋意[2]，毋必[3]，毋固，毋我[4]。（9.4）

注释

[1]子绝四：孔子杜绝了四种毛病。绝，断绝、根绝。一说孔子自无此四者。郑汝谐《论语意原》："子之所绝者，非意、必、固、我也。绝其毋也。禁止之心绝则化矣。"意为孔子心中本无意、必、固、我四者，不必刻意求禁绝。　[2]意：臆测。据段玉裁《说文解字注》，"意"作测度解，其字俗作"億（今简作'亿'）"。与"不亿（億）不信"（《宪问第十四》14.31）、"亿（億）则屡中"（《先进第十一》11.19）同。　[3]必：期必，指事情还未发生，已存必然的成见。　[4]毋我：黄式三《论语后案》："无我之义所晐甚大，凡人之行事舍己从人，取诸人以为善，是为无我。事之既效，不私功德于一己，亦无我也。"兼有不自以为是与不自居有功两意。

译文

孔子没有这四种心态：不凭空度测，不抱有成见，不拘泥己意，不专从自我。

子畏于匡[1]，曰："文王既没，文不在兹乎[2]？天之将丧斯文也，后死者不得与于斯文也[3]。天之未丧斯文也，匡人其如予何？"（9.5）

注释

[1]子畏于匡：据《史记》载，孔子离开卫国前往陈国，途径

围匡图

匡，由颜尅为孔子驾车。季氏家臣阳虎曾攻取掠夺匡邑，孔子的相貌与阳虎相似，而当年为阳虎驾车的也是颜尅，因此匡人将孔子误认作阳虎，于是围困孔子。　[2] 文：指礼乐制度。[3] 后死者：孔子自称。与（yù）：参与，与闻。

译文

孔子被困在匡邑，说："周文王已逝世，圣人遗留的文化不是在我这里吗？上天如果要埋没这文化，便不会让我这后死的人传述它。上天如果不想埋没这文化，匡人又能拿我怎么样？"

太宰问于子贡曰[1]**："夫子圣者与？何其多能也？"子贡曰："固天纵之将圣**[2]**，又多能也。"子闻之，曰："太宰知我乎？吾少也贱，故多能鄙事。君子多乎哉？不多也**[3]**。"**（9.6）

注释

[1] 太宰：官名。其人不可考。　[2] 纵之：指上天不限量孔子的才德。　[3]"君子"二句：主要有两种理解。一说"多"指多能。意为：君子多能吗？不（必）多能。一说两个"多"字都是动词，以为太多的意思。意为：君子会嫌多能么？不会嫌太多的。有赞许多能之意。

译文

太宰问子贡："夫子是圣人吗？为什么这样多才多艺呢？"子贡说："上天确实要让他成为圣人，同时也让他多才多艺。"孔子听了这话，说："太宰了解我吗？我少年时贫贱，因此学会了很多粗鄙的技艺。君子多能吗？不多吧。"

牢曰[1]**："子云：'吾不试**[2]**，故艺**[3]**。'"**（9.7）

注释

[1] 牢：有旧注说是孔子学生琴牢，字子开。　[2] 试：用，指被任用从政。　[3] 艺：技艺。与上章"多能"意相类。

译文

牢说："孔子说：'我不为当世所用，所以学了不少技艺。'"

子曰："吾有知乎哉？无知也。有鄙夫问于我，空空如也[1]，我叩其两端而竭焉[2]。"（9.8）

注释

[1]空空：指孔子心中无成见。或说指鄙夫心中无知。[2]叩其两端而竭焉：意为孔子就问题的两端叩问、启发他，追问到穷尽处，他自然会对整个问题有所领悟。叩，钱穆《论语新解》："叩，如叩门。使门内人闻声开门，又如叩钟使自鸣。孔子转叩问此鄙夫，使其心自知开悟。"两端，朱熹《论语集注》："两端，犹言两头。言终始、本末、上下、精粗，无所不尽。"

译文

孔子说："我有知识吗？没有啊。有个乡下人来求教，我对此一无所知，只是从问题的两方面追问并且启发他，问到穷尽处，他自己便能领悟。"

子曰："凤鸟不至[1]，河不出图[2]，吾已矣夫。"（9.9）

注释

[1]凤鸟：古人心目中的神鸟，雄称凤，雌称凰。凤凰出现是祥瑞之兆，表示圣王在位，天下大治。　[2]河不出图：相传伏羲时，有龙马从黄河出，伏羲依据它背上的纹理画成八卦，因此河出图也是圣王在位的征兆。

译文

孔子说："凤凰不来，黄河也不出八卦图，我的理想怕是不能实现了。"

子见齐衰者[1]，冕衣裳者与瞽者[2]，见之，虽少，必作[3]；过之，必趋[4]。（9.10）

注释

[1]齐衰（zī cuī）：古代丧服，用麻布制成，下端缝边。下端不缝边的称斩衰，是孝服中最重的一种。这里的齐衰包括斩衰。[2]冕衣裳者：指身居高位的人。礼服上身为衣，下身为裳。瞽者：盲人。　[3]作：起立，以示敬意。　[4]趋：快步疾行，也表示敬意。

译文

孔子看见穿孝服的人，戴礼帽、穿礼服身居高位的人以及盲人，若与他们相见，即使是年轻人，也必定起身；若从他们面前经过，必定快步疾行。

颜渊喟然叹曰[1]："仰之弥高，钻之弥坚[2]。瞻之在前，忽焉在后[3]。夫子循循然善诱人[4]，博我以文[5]，约我以礼，欲罢不能。既竭吾才，如有所立卓尔[6]。虽欲从之，末由也已。"（9.11）

注释

[1]喟(kuì)然:叹息的样子。 [2]"仰之"二句:指孔子的学问不可企及。弥,更加。 [3]"瞻之"二句:指孔子的学问难以把握。瞻,向前看。 [4]循循然:有次序的样子。诱:诱导,引导。 [5]文:《诗》、《书》等六艺典籍。 [6]卓尔:卓然独立、高不可及的样子。卓,高。

译文

颜渊感叹道:"老师的学问,越是仰望越觉得高大,越是钻研越觉得艰深。一时好像在眼前,忽而又像在身后。老师循序渐进地善于引导人,用典籍开阔我的知识面,用礼节约束我的行为,使我欲罢不能。而我竭尽才智,似乎看到老师的学识卓然而立在眼前。虽然想追寻老师前进,却不知如何跟从。"

子疾病,子路使门人为臣[1]。病间,曰:"久矣哉,由之行诈也!无臣而为有臣。吾谁欺?欺天乎?且予与其死于臣之手也,无宁死于二三子之手乎[2]!且予纵不得大葬[3],予死于道路乎?"(9.12)

注释

[1]臣:指治办丧事的家臣。古礼诸侯、大夫死时由家臣治丧。孔子曾任鲁司寇,但此时已去位,因而孔子认为子路的行为僭礼。 [2]无宁:宁可,不如。 [3]大葬:黄式三《论语后案》以为,弟子为老师服丧,依礼只需心丧三年。子路使门人为臣,是想让弟子治办丧服,依君臣之礼服丧三年,以尽哀情。

译文

孔子病重，子路让弟子们充当家臣为他治办丧事。孔子病有好转，听闻了这事，说：“仲由做这种欺诈的事，已经很久了吧！不该有家臣却装作有家臣。我欺骗谁呢？欺骗天吗？况且我与其死在所谓的家臣手上，还不如死在你们这些学生手上。况且我纵使没有盛大的葬礼，难道我还会死在道路上吗？”

子贡曰：“有美玉于斯，韫椟而藏诸[1]？求善贾而沽诸[2]？”子曰：“沽之哉，沽之哉，我待贾者也。”（9.13）

注释

[1] 韫（yùn）：收藏。椟（dú）：木匣。　　[2] 贾（gǔ）：商人。“善贾”即识货的商人，后文的“待贾”比喻等待明主。或说“贾”同“价”，“善贾”指好价钱，“待贾”指等待好价钱。沽：卖。

译文

子贡说：“如果这里有块美玉，是把它收藏在柜子中，还是找个识货的商人卖掉呢？”孔子说：“卖掉吧，卖掉吧，我在等一个懂得赏识它的商人。”

子欲居九夷[1]。或曰：“陋[2]，如之何？”子曰：“君子居之，何陋之有？”（9.14）

注释

[1]九夷：东方沿海地区的部族，散居淮水、泗水之间。[2]陋：鄙陋，指文化程度低。

译文

孔子想去东方蛮夷之地居住。有人说："那里鄙陋，怎么能去那里？"孔子说："君子住到那里，那里还会鄙陋么？"

子曰："吾自卫反鲁[1]，然后乐正，雅颂各得其所[2]。"（9.15）

注释

[1]吾自卫反鲁：据《左传》，事在哀公十一年冬。[2]雅颂：雅、颂既可以指乐曲的分类，也可以指《诗经》篇目的分类。与之对应，乐正也有两种解释：一说是正乐音；一说是正乐章，即调整篇章顺序，使"雅"的篇章归于"雅"，"颂"的篇章归于"颂"。或说兼指二者。

译文

孔子说："我从卫国回到鲁国，经过一番整理，乐章得以厘正，雅颂各归其类。"

子曰："出则事公卿，入则事父兄，丧事不敢不勉[1]，不为酒困[2]，何有于我哉[3]？"（9.16）

注释

[1]勉：勤勉，尽力。　　[2]困：乱也。与《乡党第十》“唯酒无量，不及乱”（10.8）意思相通。　　[3]何有于我哉：一说是自述之辞，意为这对我有什么困难。一说是自谦之辞，意为我做到了哪点。

译文

孔子说：“在外尽忠侍奉公卿，在家尽孝服侍长辈，遇到丧事不敢不尽心，不因过量饮酒而被困扰，对我而言，做到这些又有什么困难呢？”

子在川上曰[1]：“逝者如斯夫[2]，不舍昼夜[3]。”（9.17）

注释

[1]川上：河岸边。　　[2]逝：往。　　[3]舍：停留，停止。有解释说这句话是孔子借流水感叹时光易逝，或说是赞扬流水一往无前、勇猛精进的精神。

译文

孔子站在河岸上，说：“逝去的时光就像这水一样，昼夜不停地流过去了。”

子曰：“吾未见好德如好色者也[1]。”（9.18）

注释

[1] 有旧注说本章是孔子感慨时人薄于德而重于色，人好色出于本性，而人好德不易像好色那样诚心。也有据《史记·孔子世家》："居卫月余，灵公与夫人同车，宦者雍渠参乘，使孔子为次乘，招摇过市之。"则以为孔子言是专为卫灵公而发。

译文

孔子说："我从未见过爱好道德能像爱好美色一样的人。"

子曰："譬如为山[1]，未成一篑[2]，止，吾止也。譬如平地[3]，虽覆一篑，进，吾往也。"（9.19）

注释

[1] 为：这里指堆积。　　[2] 篑（kuì）：盛土的竹器。
[3] 平地："平地为山"的简化，在平地上堆土成山的意思。

译文

孔子说："比如堆土成山，离堆好只差一筐土，这时候停下，这是自己主动停止的。又比如在平地上堆土成山，即使只倒下一筐土，继续进行，这是自己坚持前进的。"

子曰："语之而不惰者[1]，其回也与？"（9.20）

注释

[1] 惰：懈怠。

译文

孔子说："能够听我说话而不懈怠的，大概只有颜回了吧？"

子谓颜渊，曰："惜乎[1]！吾见其进也，未见其止也。"（9.21）

注释

[1] 惜乎：孔子哀叹颜渊早逝，深觉可惜。

译文

孔子评价颜渊，说："可惜啊！我只看见他求进，从未见过他止步。"

子曰："苗而不秀者有矣夫[1]！秀而不实者有矣夫[2]！"（9.22）

注释

[1] 苗：指稻谷刚开始生长，即禾苗。秀：指禾苗吐穗开花。[2] 实：指禾苗结果实。本章与前评论颜回的两章相连，因此旧注多认为"苗而不秀"、"秀而不实"是痛惜颜回不幸短命。也有旧注说本章是勉学者为学不可半途而废。

译文

孔子说："竟有只发芽不开花的禾苗！竟有只开花不结果的禾苗！"

子曰："后生可畏[1]，焉知来者之不如今也[2]？四十五十而无闻焉[3]，斯亦不足畏也已。"（9.23）

注释

[1] 后生可畏：年轻人来日方长，不可限量，所以值得敬畏。[2] 焉知：怎么知道。来者之不如今：主要有三种解释。一、"来者"指后生，今指孔子或今日的成人，以后来之人与今日之人作对比。二、"来者"指后生的未来，今指后生的今日，以后生的未来与其现状作对比。三、"来者"指未来之事，今指今日之事，以未来的情形与如今的情形作对比。 [3] 无闻：即无声誉闻达于世。《大戴礼记·曾子立事》："五十而不以善闻，则无闻矣。"与此意同。

译文

孔子说："年轻人值得敬畏，怎么知道后辈的未来不如今日之人呢？一个人若到了四十岁五十岁还没有名声，就不值得敬畏了。"

子曰："法语之言[1]，能无从乎？改之为贵。巽与之言[2]，能无说乎？绎之为贵[3]。说而不绎，从而不改，吾末如之何也已矣。"（9.24）

注释

[1] 法语：指合乎法度的话。 [2] 巽（xùn）：恭顺。[3] 绎：本意是抽丝，这里指探寻事理。

译文

孔子说："合乎法度的话，听了还能不服从吗？贵在能够听后改正自己的错误。恭顺委婉的话，听了还能不高兴吗？贵在听后能够领悟言外的道理。只觉得高兴而不能领悟，只是表示服从而不去改正，这样的人我拿他就没有办法了。"

子曰："主忠信，毋友不如己者，过则勿惮改。（9.25）

译文

见《学而第一》1.8。

子曰："三军可夺帅也[1]，匹夫不可夺志也。"（9.26）

注释

[1] 三军：周制大国有三军，一万二千五百人为一军。

译文

孔子说："可以夺取三军的主帅，却不能夺取一个人的志向。"

子曰："衣敝缊袍[1]，与衣狐貉者立[2]，而不耻者，其由也与？'不忮不求，何用不臧[3]？'"子路终身诵之[4]。子曰："是道也，何足以臧[5]？"（9.27）

注释

[1] 衣（yì）：这里作动词，穿。缊（yùn）：破棉絮。　[2] 狐貉：狐皮与貉皮制成的裘衣。　[3]“不忮”二句：出自《诗经·邶风·雄雉篇》。意为不嫉妒，不贪求，还会有什么不好的。孔子引这两句诗表扬子路。忮（zhì），指因嫉妒而生加害之心。臧，善。　[4] 子路终身诵之：子路因自喜而常吟诵这两句诗。或说子路是因担心自己起忮求之心，常吟诵以为戒。　[5] 何足以臧：怎么称得上善。孔子警示子路不可满足于此。

译文

孔子说："穿着破烂的旧袍子，和穿着华美的皮裘的人站在一起，却不因此感到羞耻的，恐怕只有仲由了吧？'不嫉妒，不贪求，还会有什么不好的吗？'"子路听了，常常念诵这两句诗。孔子说："只是这样做，就足够好了吗？"

子曰："岁寒，然后知松柏之后凋也[1]。"（9.28）

注释

[1] 凋：凋零。

译文

子曰："天气寒冷，才知道松柏是最后凋零的。"

子曰："知者不惑，仁者不忧[1]，勇者不惧。"（9.29）

注释

[1] 仁者不忧：皇侃《论语义疏》引孙绰云："安于仁，不改其乐，故无忧也。"

译文

孔子说："有智慧的人不会迷惑，有仁德的人无可忧虑，勇敢的人无所畏惧。"

子曰："可与共学，未可与适道[1]；可与适道，未可与立[2]；可与立，未可与权[3]。"（9.30）

注释

[1] 适：到，往。　[2] 可与立：朱熹《论语集注》引程子言："可与立者，笃志固执而不变也。"或说立有"立于礼"的意思。[3] 权：钱穆《论语新解》："称物之锤名权。权然后知轻重。《孟子》曰：'男女授受不亲，礼也。嫂溺援之以手，权也。'《论语》曰：'立于礼'，然处非常变局，则待权其事知轻重，而后始得道义之正。但非义精仁熟者，亦不能权。借口适时达变，自谓能权，而或近于小人之无忌惮，故必能立乃始能权。"

译文

孔子说："一个人可以与他一同学习，未必能与他一同向道；能与他一同向道，未必能与他一同立定自守；能与他一同立定自守，未必能与他一同权衡事之所宜。"

"唐棣之华，偏其反而。岂不尔思？室是远而[1]。"子曰："未之思也，夫何远之有[2]？"（9.31）

注释

[1]"唐棣（dì）"四句：这四句诗不见于《诗经》，可能是逸诗。唐棣，一种植物。或说是郁李，或说是扶移。华，同"花"。偏其反而，一说是指其花初开反背，而后合并。一说"偏"作"翩"，"反"作"翻"，形容花枝摇曳的样子。　[2]"未之思"二句：或说与《述而第七》"仁远乎哉？我欲仁，斯仁至矣"（7.30）意同。

译文

古代有一首诗这样写道："唐棣花开，摇曳翩翩。哪里是我不想你？是家离得太遥远。"孔子说："那是他没有想念吧，若是真的想念，又怎会觉得太遥远？"

文史链接

孔子的生平（二）

淑世是孔子的理想。但是谁来任用孔子呢？

当时的鲁君是鲁昭公，他听任季氏、孟氏、叔孙氏三位大臣的摆布，不能掌权。孔子素来不满大权在握的季氏，其"八佾舞于庭"等僭礼的行为让孔子大呼"是可忍，孰不可忍"，于是孔子出走齐国。

齐景公对孔子的一些意见非常欣赏，孔子说为政便是要"君君，臣臣，父父，子子"，齐景公大呼"善哉"。但他最终没有任用孔子，只说了一句"吾老矣"来打发孔子。

孔子在齐国待了七八年,趁着定公继位时回到祖国。不多久后，五十多岁的孔子终于等来了他的机会，得到了司寇一职。孔子在任期间颇有政绩，不辱使命。但三年以后他还是走了，因为他看不惯季氏荒废朝政，季氏对他也不再礼貌有加。总之，鲁国再没有孔子行道的机会，他去了卫国。

卫灵公也不用孔子，孔子又离开了。此后十多年间，他经过宋和陈，也回过鲁和卫，还去了曹和郑。在长期的奔波中，孔子没有遇到一个明君，他遇到的只有危险和贫困：过宋时桓魋要杀他;陈蔡的边境上断了粮，一群弟子跟着他饿得面如菜色，病的病，倒的倒。

困厄不曾压倒孔子。别人要杀他，大难当头，他说："天生德于予,桓魋其如予何？"这是勇者无畏的气度。遭人围困,进退两难，他说："文王既没，文不在兹乎？天之将丧斯文也，后死者不得与于斯文也。天之未丧斯文也，匡人其如予何？"这是天命在斯的自信。

但孔子济世的热情终究被现实浇灭成了叹息。"归与！归与！"六十八岁的孔子在由蔡至陈的路上这样说道。孔子准备回乡了，不是去安享晚年，是去继续他的另一项事业："吾党之小子狂简，斐然成章，不知所以裁之"。孔子回去正是要"裁之"，要做归正这些青年学生的老师。回鲁国后的孔子声望和门徒与日俱增，他未能在救世中完成的理想，都将在教书育人中延续下去。

思考讨论

著名历史地理学家谭其骧教授把自己的书房命名为"四毋斋"，请解释其命名的来历与意蕴。

乡党第十

孔子于乡党[1]，恂恂如也[2]，似不能言者。其在宗庙朝廷，便便言[3]，唯谨尔。（10.1）

注释

[1] 乡党：古代一万二千五百家为乡，五百家为党，这里泛指本乡本地。 [2] 恂（xún）恂如：温和而恭顺的样子。 [3] 便（pián）便言：言语明辨的样子。

译文

孔子在乡里为人谦和恭顺，好像不会说话的样子。

在宗庙朝廷上说话明白流畅，只是态度谨慎。

朝[1]，与下大夫言[2]，侃侃如也[3]；与上大夫言，訚訚如也[4]。君在，踧踖如也[5]，与与如也[6]。（10.2）

注释

[1] 朝：上朝。这里指君主还未来的时候。 [2] 下大夫：有旧注说孔子担任过鲁司寇，属下大夫，这里指与孔子同级的官员。 [3] 侃侃如：刚直的样子。或说温和愉悦的样子。 [4] 訚（yín）

訚如：和悦而中正的样子。 [5] 踧踖（cù jí）如：恭敬而不安的样子。 [6] 与与如：威严适度的样子。或说行步安舒的样子，言孔子虽然心中稍有不安，但步履安详如故。

译文

上朝时，与下大夫交谈，刚直而愉悦的样子；与上大夫交谈，正直而温和的样子。君主临朝时，恭敬而内心不安的样子，仪容威严而得体的样子。

君召使摈[1]，色勃如也[2]，足躩如也[3]。揖所与立，左右手，衣前后，襜如也[4]。趋进，翼如也。宾退，必复命，曰："宾不顾矣。"（10.3）

问礼老聃图

注释

[1] 摈：亦作“傧”，迎接引导国外的宾客。 [2] 色勃如：神色改变，矜持庄严的样子。 [3] 足躩（jué）如：脚步盘旋、徘徊有所避让的样子。或说步履迅速的样子。 [4]“衣前后”二句：随着孔子向两边作揖，衣裳一俯一仰，动作和衣裳都很整齐。襜（chān），衣着整齐。

译文

国君召孔子接待外国的宾客，孔子的神色变得矜持而庄重，脚步不敢懈怠。他向左边同立的人传辞令，把手向左作揖；向右边同立的人传辞令，把手向右作揖，上衣随之前后摆动，从容整齐。快步上前时，动作如同鸟儿展翅一样舒展。宾客告退，必定向君主回禀：“客人不再回头了。”

入公门，鞠躬如也[1]，如不容。立不中门[2]，行不履阈[3]。过位[4]，色勃如也，足躩如也，其言似不足者。摄齐升堂[5]，鞠躬如也，屏气似不息者。出，降一等[6]，逞颜色，怡怡如也。没阶，趋进，翼如也。复其位，踧踖如也。（10.4）

注释

[1] 鞠躬如：谨慎而恭敬的样子。 [2] 立不中门：不站立在门中央。古人在门中央竖短木，称之为闑。中门，旧注认为是闑右侧（东门）的正中央；清代有学者则认为中间应有两块闑，

两块闑之间的才是中门。门中央是尊者所处，故而国君由中门出入，臣子则从两边出入。 [3]阈（yù）：门槛。 [4]过位：这里指君主的虚位。君主不在，路过君主的虚位，也要表示尊敬。[5]摄：提起。齐（zī）：古人的服装，上装称衣，下装称裳，“齐”是指裳的下摆所缝的边。 [6]等：指台阶的等级。

译文

走进朝廷的门，动作谨慎而恭敬，好像无处容身一般。站立不敢站在门中间，走路不踩在门槛上。路过国君的虚位，神色变得庄严，步伐不敢懈怠，好像不能说话一样。提起下摆走上朝堂，神色谨慎而恭敬，好像不能呼吸一样。退出来，走下一级台阶，神色稍稍放松，显得温和舒缓。走完了台阶，快步向前，动作好像鸟儿张开翅膀。回到自己的位置上，依然是恭敬而不安的样子。

执圭[1]，鞠躬如也，如不胜[2]。上如揖，下如授，勃如战色，足蹜蹜如有循[3]。享礼[4]，有容色。私觌[5]，愉愉如也。（10.5）

注释

[1]执圭：圭，玉器，上端或圆或尖，下端方形。古代诸侯派遣大臣去他国聘问，以圭为信物。聘礼的核心环节是“聘”和“享”。其中“聘国君”的主要内容是使者代表国君致辞并将圭呈给对方国君，对方国君接受圭。“执圭”至“如有循”一段可能记述孔子行“聘国君”礼的情形。 [2]如不胜：玉圭质量轻，却像是拿不动，以示恭敬慎重。《礼记·曲礼下》：“凡执主器，执轻如不克。”

[3]足蹜（suō）蹜：步伐紧促的样子。如有循：好像脚下有物，有所遵循。　[4]享礼：聘礼中，"聘"的环节结束后，进行"享"。使臣代国君致辞，并向对方国君赠送礼物。　[5]私觌（dí）：指正规礼节结束后，以私人的身份会面。觌，相见。

译文

奉君命出使国外，手执玉圭，动作恭敬谨慎，好像拿不动的样子。向上举时如同作揖，向下时如同要交给别人，神情严肃。脚步急促紧密，好像遵循着划定的路线行走一样。献礼时神色温和。以私人身份与他人会面，则显得轻松愉快。

君子不以绀緅饰[1]，红紫不以为亵服[2]。当暑，袗絺绤[3]，必表而出之。缁衣羔裘，素衣麑裘，黄衣狐裘[4]。亵裘长[5]，短右袂[6]。必有寝衣[7]，长一身有半。狐貉之厚以居[8]。去丧，无所不佩[9]。非帷裳，必杀之[10]。羔裘玄冠不以吊[11]。吉月[12]，必朝服而朝。（10.6）

注释

[1]绀（gàn）緅（zōu）饰：绀，深青中带赤色。緅，黑中透红的颜色，较绀色更深。饰，衣服的镶边，这里作动词用。古代正式的礼服尚用黑色，绀緅两色近黑，所以不能用来镶边。

[2]红紫不以为亵服：亵服，私居时穿的衣服。时人有尚红、紫两色的风气，红、紫是间色而非正色（古代以青、赤、白、黑、黄

为正色，赤加白为红，赤加黑为紫），孔子曾言“紫之夺朱也恶”（《阳货第十七》17.18）。私服尚且不用红、紫，正服自然更不宜用。[3]袗（zhěn）：单衣，这里作动词用，指穿上单衣。絺（chī）：细葛布。绤（xì）：粗葛布。　[4]“缁衣羔裘”三句：裘，皮衣。古人穿皮衣，通常毛向外，所以皮衣外要穿一层罩衣，这三句是说罩衣与裘衣的颜色应该相称。缁（zī），黑色。羔裘用黑色的羊毛。素，白色。麑（ní），小鹿，毛白色。狐毛黄色。　[5]亵裘：在家穿的皮裘。较长，为了保暖。　[6]短右袂（mèi）：为方便做事，右边的衣袖稍短。袂，袖子。　[7]寝衣：睡觉时盖的小被。或说是睡衣。　[8]居：坐，这里指坐垫。　[9]“去丧”二句：去丧，指服丧期满，除去丧服。古人服丧期间不戴佩饰。[10]“非帷裳”二句：帷裳，礼服。古人上衣下裳，下身的裳较长，而帷裳用整幅布制成，多余的布料用作折叠。杀（shài），剪裁。指制作一般衣服之前先裁去多余的布，不用折叠，节省布料。[11]羔裘玄冠不以吊：玄冠，黑色的礼帽。羔裘、玄冠都是黑色的，古代用作吉服，不能穿戴着去吊丧。　[12]吉月：一说指每月初一。一说“吉”为“告”字之误，指每月月底。或说指每年大年初一。

译文

君子不用青中带赤的颜色以及黑中透红的颜色为衣服镶边，也不用淡红色与紫色作平日居家的衣服。夏天，穿或粗或细的葛布织成的单衣，但一定要先穿一层里衣，使单衣露在外面。黑色的罩衫配羔裘，白色的罩衫配麑裘，黄色的罩衫配狐裘。居家穿的皮裘较长，但右边的衣袖较短。必须备有睡觉时盖的小被，约身长的一倍又半。用狐、貉的厚毛皮作坐垫。服丧期满，所有东西都能佩戴。如果不是帷裳这样重要的礼服，制作下身穿的衣裙，布料一定要剪裁缝合。黑色的裘衣和礼帽，都不能穿戴着去吊丧。每月初一，要穿戴上朝的礼服去朝贺。

齐[1]，必有明衣[2]，布[3]。齐必变食[4]，居必迁坐[5]。（10.7）

注释

[1]齐：同“斋”。　[2]明衣：斋戒需沐浴，沐浴后所穿的衣服称明衣。　[3]布：当时没有棉布，应指麻布或葛布。[4]变食：改变平日的饮食，如不饮酒，不吃荤（指有浓烈气味的菜，比如葱、蒜等），不食肉等。　[5]迁坐：改变平日的住处。平日与妻子一同居住的房间称“燕寝”，斋戒时不能与妻子同房，迁居于“正寝”（亦称“外寝”）。

译文

斋戒，必须备有沐浴后穿的明衣，用布制成。斋戒时要改变饮食习惯，居处也要改换平日的房间。

食不厌精[1]，脍不厌细[2]。食饐而餲[3]，鱼馁而肉败[4]，不食。色恶，不食。臭恶，不食。失饪，不食。不时[5]，不食。割不正[6]，不食。不得其酱[7]，不食。肉虽多，不使胜食气[8]。唯酒无量，不及乱。沽酒

市脯不食。不撤姜食，不多食[9]。（10.8）

注释

[1]不厌：朱熹《论语集注》："不厌，言以是为善，非谓必欲如是也。"厌，满足。精：指米舂得精细。　[2]脍：切成丝的牛、羊、猪、鱼肉。　[3]食饐（yì）而餲（ài）：指食物放久了变质。　[4]鱼馁而肉败：鱼腐烂称馁，肉腐烂称败。　[5]不时：即不在一日三餐的时间。　[6]割不正：指不按照牛、羊、猪等家禽的肉质构造来分割。　[7]酱：酱料，古人常用酱来烹煮或佐食。　[8]食（sì）气：谷物，主食。　[9]不多食：姜辛辣，不可多食。或说就一餐而言，适可而止，不宜吃得过饱。

译文

粮食不嫌舂得精，鱼肉不嫌切得细。饭食放久变味，鱼和肉腐烂了，不吃。食物颜色难看，不吃。气味难闻，不吃。火候不当，不吃。不到吃的时候，不吃。不顺着肉质割的肉，不吃。酱料不相配，不吃。肉即使有很多，也不能吃得超过饭量。唯有酒不限量，但不至于喝醉。外面卖的酒和肉干，不吃。餐后不撤去姜。也不多吃。

祭于公[1]**，不宿肉**[2]**。祭肉不出三日，出三日，不食之矣。**（10.9）

注释

[1]祭于公：古代大夫、士都要助君祭祀。　[2]不宿肉：古代天子、诸侯祭祀，当日清早才杀牲口，而后开始祭典。第二

日继续举行祭祀，之后或把祭肉分赐给士大夫，或让他们把各自助祭的肉带回去，因而这些肉不能再存放一夜。

译文

参加国家的祭典，带回来的祭肉不能留过夜。其他祭祀祭肉的存放不能超过三天，超过三天，便不吃了。

食不语，寝不言。（10.10）

译文

吃饭和睡觉时，都不说话。

虽疏食、菜羹、瓜，祭必齐如也[1]。（10.11）

注释

[1]齐如：严肃恭敬的样子。

译文

即使是粗粮、菜汤、瓜果之类，献祭时态度也必须严肃恭敬。

席不正[1]，不坐。（10.12）

注释

[1]席：坐席。

译文

坐席没有摆正，不坐。

乡人饮酒，杖者出[1]，斯出矣。（10.13）

注释

[1]杖者：指老年人。乡习尚齿，以长者为尊，所以孔子让长者先出。

译文

与乡里人一起饮酒，等长者都出去了，自己才能跟着出去。

乡人傩[1]，朝服而立于阼阶[2]。（10.14）

注释

[1]傩（nuó）：民间习俗，迎神以驱疫鬼。　[2]阼（zuò）阶：指东阶，主人所立的位置。朱熹《论语集注》："傩虽古礼而近于戏，亦必朝服而临之者，无所不用其诚敬也。"

译文

乡人举行迎神驱鬼的仪式，孔子穿着朝服站在东边的石阶上。

问人于他邦[1]，再拜而送之。（10.15）

注释

[1] 问：送礼问候。

译文

孔子托人向国外的朋友问候，向受托之人行再拜之礼相送。

康子馈药[1]，拜而受之。曰："丘未达，不敢尝。"（10.16）

注释

[1] 康子：指鲁国的季康子。

译文

季康子馈赠孔子药物，孔子行了一次拜礼然后收下，说道："我不解药性，不敢尝试。"

厩焚，子退朝，曰："伤人乎？"不问马。（10.17）

译文

马厩失火，孔子退朝回来，问道："伤着人了吗？"不问马的情况。

君赐食[1]，必正席先尝之。君赐腥[2]，必熟而荐之[3]。君赐生[4]，必畜之。

侍食于君，君祭，先饭[5]。（10.18）

注释

[1] 食：指经过烹调的熟食。 [2] 腥：生肉。 [3] 荐：进献。 [4] 生：活的牲口。 [5] 先饭：先吃饭，指为国君尝食。

译文

国君赐熟食，必定摆正席位先品尝一下。国君赐生肉，必定烧熟了进献给先祖。国君赐活物，必定饲养起来。

陪从国君吃饭，国君餐前行祭礼时，自己会先尝饭。

疾，君视之，东首[1]，加朝服[2]，拖绅[3]。（10.19）

注释

[1] 东首：指头朝东而卧。这里有尊重君主的意思。

[2] 加朝服：孔子在病中，不能穿朝服，于是加盖在身上。

[3] 绅：朝服腰间所系的大带。

译文

孔子病了，国君前来探望，孔子便头朝东而卧，将上朝穿的礼服盖在身上，加上大带。

君命召，不俟驾行矣。（10.20）

译文

国君有命召见，孔子不等备好车辆，便立刻动身前往。

入太庙，每事问。（10.21）

译文

见《八佾第三》3.15。

译文

进了周公庙，每件事都要询问。

朋友死，无所归[1]，曰："于我殡[2]。"（10.22）

注释

[1] 无所归：指没有亲人主持丧事。　　[2] 殡：停放灵柩称殡，埋葬也称殡。这里泛指料理丧事。

译文

朋友死了，没有人为他料理丧事，孔子说："我来安葬他吧。"

朋友之馈，虽车马，非祭肉，不拜[1]。（10.23）

注释

[1]"朋友"四句：朱熹《论语集注》："朋友有通财之义，故虽车马之重不拜。祭肉则拜者，敬其祖考，同于己亲也。"

译文

朋友馈赠财物，即使是车马之类的重礼，只要不是祭肉，就不行拜礼。

寝不尸[1]，居不容[2]。（10.24）

注释

[1] 尸：像死尸一样，即摊开四肢仰面而卧。　[2] 容：指保持严肃的仪容。有古本作“客”，像做客或是待客一样拘谨而严肃地坐着。

译文

睡觉时不像死尸一样僵卧，居家时不必保持严肃的仪容。

见齐衰者[1]，虽狎必变[2]。见冕者与瞽者，虽亵必以貌。

凶服者式之[3]。式负版者[4]。

有盛馔[5]，必变色而作[6]。

迅雷风烈[7]，必变。（10.25）

注释

[1] 齐衰者、冕者、瞽者：见《子罕第九》9.10 注 [1]、注 [2]。[2] 狎（xiá）：亲近，亲密。下文“亵”字意相近。　[3] 式：通“轼”，车前的横木，这里作动词，指身体向前微倾，手伏在横木上，以

示敬意。 [4] 版：国家图籍。 [5] 馔（zhuàn）：食品，菜肴。[6] 作：起立，以示尊敬。 [7] 风烈：即烈风。

译文

见到穿着丧服的人，即使关系亲密，也必定改变神色。见到戴着礼帽的人和盲人，即使平日常往来，也必定恭敬相待。

坐在车上，遇见穿着丧服的人，便会俯身伏于横木，向他表示同情。遇见背负国家图籍的人，也会俯身伏于横木，以示尊重。

有丰盛的菜肴，一定会改变神色并起身。

遇到疾雷狂风，一定会改变常态。

升车，必正立，执绥[1]。

车中，不内顾，不疾言，不亲指[2]。（10.26）

注释

[1] 绥（suí）：绳索，拉着以便登车。 [2] 内顾、疾言、亲指：古人以为这三种行为皆失礼容，且影响他人。

译文

登车的时候，一定是正立着、手执绳索安然上去。

在车中，不东张西望，不高声急言，不指指点点。

色斯举矣，翔而后集[1]。曰："山梁雌雉，时哉时哉！"子路共之[2]，三嗅而作。（10.27）

注释

[1]集：鸟群停在树上。　　[2]共：同“拱”，抱拳致意。

译文

本节文意难明，古来异解纷纭，无公认的确解，略去不译。

文史链接

古人的“坐”

古人的坐姿与今日不同。现代人的“坐”以臀部着坐具；古人的“坐”则以两膝着地，脚心朝上，臀部置于脚心上。这种姿势与“跪”相似，在坐姿的基础上挺直腰杆与大腿，臀部离开脚心，便是跪姿。

古人用这样的坐姿，主要有两个原因。一是因为古人穿裙不穿裤，采取跪坐的姿势更雅观。二是因为那时没有高椅高桌，都

古人跪坐像

是“席地而坐”——先在地上铺一张大席子，也就是“筵”；筵的上面再铺上供人坐的小块席子，叫做“席”，一般每席可以容纳四人。

所谓“正席”，有两个含义：一是对正方向，古人对坐席的朝向很有讲究，南北向的席子以西方的位子为尊；东西向的席子以南方的位子为尊。二是致敬，所以主人为客人正席，弟子为师长正席。因为席铺在筵上，而席与筵都是蒲草或菅草制的，比较光滑，坐久了容易移动位置，所以要“正席”。

古人的斋戒

古人在祭祀或行大礼前要斋戒。“斋”的繁体字写作“齋”，齐的繁体字写作“齊”，古书上说“斋之为言齐也，齐不齐以致齐者也”，也就是说要通过斋戒齐整身心，以示虔诚庄敬。

斋戒一般包括沐浴更衣，不饮酒，不吃荤，不与妻妾同房，减少娱乐活动等。值得注意的是“荤”字。现在“荤”主要指肉类，通常与代表鱼类海鲜的“腥”字连在一起用，古代则不然，斋戒中戒荤是指不吃葱、蒜、韭、姜等有刺激气味的菜。

思考讨论

孔子对饮食有怎样的观念与习惯？

聖賢之道

湯一介

戊子年夏

国學基本教材

论　语（下）

晏子然◎编注

浙江古籍出版社

图书在版编目（CIP）数据

论语 / 晏子然编注 .— 杭州 : 浙江古籍出版社，2013.9

国学基本教材

ISBN 978-7-5540-0148-6

Ⅰ. ①论… Ⅱ. ①晏… Ⅲ. ①儒家②《论语》—注释③《论语》—译文 Ⅳ. ① B222.21

中国版本图书馆 CIP 数据核字（2013）第 210351 号

论　语

晏子然　编注

出版发行　浙江古籍出版社
（杭州体育场路 347 号　电话：0571-85176986）
网　　址　www.zjguji.com
责任编辑　陈临士　潘铭明
特约编辑　刘　舫　秦　南
责任校对　余　宏
美术编辑　刘　欣
责任印务　贾　敏
照　　排　杭州立飞图文制作有限公司
印　　刷　富阳美术印刷有限公司
开　　本　880 × 1230　1/32
印　　张　11.25
字　　数　266 千字
版　　次　2013 年 9 月第 1 版
印　　次　2013 年 9 月第 1 次印刷
书　　号　ISBN 978-7-5540-0148-6
定　　价　22.50 元

目　录

先进第十一

先进于礼乐[1]，野人也[2]；后进于礼乐，君子也[3]。如用之，则吾从先进。（11.1）

注释

[1]先进：前辈。下句"后进"指后辈。前辈指颜渊、仲弓、仲由等入孔门较早的弟子，后辈指子游、子复等入孔门较晚的弟子。或说指先世与后世。或说指先学与后学。　[2]野人：指质朴之人。这里的"野"字与《雍也第六》"文胜质则史，质胜文则野"（6.18）的"野"字含义相通。　[3]君子：与"野人"对举，指"文胜质"的人，有浮夸不实的意思。

译文

孔子说："先入我们的一辈，在礼乐上是质朴的人；后入我们的一辈，在礼乐上像是君子。如果用礼乐，我还是愿意遵以先进一辈弟子的风气。"

子曰："从我于陈、蔡者[1]，皆不及门也[2]。"（11.2）

在陈绝粮图

注释

[1]从我于陈、蔡者：孔子和一些弟子在陈、蔡之间遭围困，一度绝粮。从陈、蔡者，史载有颜渊、子贡、子路等。　[2]不及门：指这些弟子现在不在孔子身边。

译文

孔子说："跟随我在陈国、蔡国间共患难的弟子，现在都不在我身边了。"

德行：颜渊，闵子骞，冉伯牛，仲弓。言语：宰我，

子贡。政事：冉有，季路。文学：子游，子夏。（11.3）

译文

品行优秀的有：颜渊，闵子骞，冉伯牛，仲弓。长于辞令的有：宰我，子贡。善于处理政务的有：冉有，季路。擅长文献典籍的有：子游，子夏。

子曰："回也非助我者也[1]，于吾言无所不说[2]。"（11.4）

注释

[1]助：朱熹《论语集注》："助我，若子夏之起予，因疑问而有以相长也。颜子于圣人之言，默识心通，无所疑问，故夫子云然。"

[2]说：同"悦"。

译文

孔子说："颜回不是对我有所助益的弟子，对我说的话没有一句不心悦诚服。"

子曰："孝哉闵子骞！人不间于其父母昆弟之言[1]。"（11.5）

注释

[1]间：非议。昆弟：兄弟。

译文

孔子说：“闵子骞真是孝顺啊！人们对他父母、兄弟称赞他的话没有异议。”

南容三复白圭[1]，孔子以其兄之子妻之。（11.6）

注释

[1] 白圭：《诗经·大雅·抑》有“白圭之玷，尚可磨也；斯言之玷，不可为也”，大意是白玉上的斑点还可以磨掉，人言语上的污点却无法抹掉。

译文

南容反复念诵“白圭之玷，尚可磨也；斯言之玷，不可为也”的诗句，孔子把自己兄长的女儿嫁给了他。

季康子问：“弟子孰为好学？”孔子对曰：“有颜回者好学，不幸短命死矣，今也则亡。”（11.7）

译文

季康子问：“弟子中谁好学？”孔子回答说：“有个叫颜回的好学，不幸的是他短命死了，如今没有这样的弟子了。”

颜渊死，颜路请子之车以为之椁[1]。子曰：“才不才，亦各言其子也。鲤也死[2]，有棺而无椁。

吾不徒行以为之椁[3]，以吾从大夫之后[4]，不可徒行也[5]。”（11.8）

注释

[1]颜路：颜回的父亲颜无繇（yáo），字路，也是孔子的弟子。椁（guǒ）：古代棺木有时用两层，内层称棺，外层称椁。据《礼记·丧大记》“士杂木椁”。颜回家贫，不能备椁。　[2]鲤：孔子的儿子孔鲤，字伯鱼，享年五十。　[3]徒行以为之椁：徒行，卖掉车徒步行走。治办丧事应“称家之有无”，有则尽礼，无则尽哀。《公羊传》隐公三年：“丧事无求，求赙（fù，以钱财帮助别人办理丧事）非礼也。”　[4]吾从大夫之后：谦辞，跟从在大夫后面。孔子曾任鲁司寇，此时虽已去位，地位仍在大夫之列。　[5]不可徒行：《礼记·王制》有“君子耆老不徒行”之说，孔子若卖车徒行，则是违礼。

译文

颜渊死了，他的父亲请求孔子卖掉车马为颜渊置备外椁。孔子说：“不管有没有才能，我们说的都是自己的儿子。孔鲤死了，也只有内棺而没有外椁。我不能徒步行走为他置办外椁，因为我曾作过鲁国大夫，年老时是不可以徒行的。”

颜渊死。子曰：“噫！天丧予！天丧予！”（11.9）

译文

颜渊死了。孔子说：“唉！这是上天不让我活了！这是上天不让我活了！”

颜渊死，子哭之恸[1]。从者曰："子恸矣！"曰："有恸乎？非夫人之为恸而谁为[2]？"（11.10）

注释

[1] 恸（tòng）：哀伤过度。 [2] 夫（fú）人：代指颜渊。

译文

颜渊死了，孔子哭得很伤心。身边的弟子说："老师过于哀伤了！"孔子说："我太哀伤了吗？我不为这样的人哀伤，还为了谁哀伤？"

颜渊死，门人欲厚葬之[1]。子曰："不可。"门人厚葬之。子曰："回也视予犹父也，予不得视犹子也[2]。非我也，夫二三子也。"（11.11）

注释

[1] 厚葬：指丧事隆重。 [2] "回也"二句：《礼记·檀弓上》载："昔者夫子之丧颜渊，若丧子而无服。"或是由于颜回厚葬不合于礼，而孔子不能制止，不得以葬伯鱼之礼葬颜回，因而有"不得视犹子也"的感叹。

译文

颜渊死了，弟子们想厚葬他。孔子说："不行。"弟子们还是厚葬了颜渊。孔子说："颜回把我当父亲，我却不能待他如儿子。这不是我的意思啊，是那些学生们做的主。"

季路问事鬼神。子曰:“未能事人,焉能事鬼?”曰:“敢问死。”曰:“未知生,焉知死[1]?”(11.12)

注释

[1]“未知”二句:朱熹《论语集注》:“然非诚敬足以事人,则必不能事神;非原始而知所以生,则必不能反终而知所以死。”

译文

子路请教怎样侍奉鬼神。孔子说:“还没能侍奉好人,怎么能侍奉鬼神?”子路又说:“请问什么是死?”孔子说:“还不明白什么是生,怎么能明白什么是死?”

闵子侍侧,訚訚如也[1];子路,行行如也[2];冉有、子贡,侃侃如也[3]。子乐[4]。“若由也,不得其死然[5]。”(11.13)

注释

[1]訚(yín)訚如:和悦而中正的样子。　[2]行行如:刚强的样子。　[3]侃侃如:和乐的样子。　[4]子乐:“子乐”二字之后,仲由称名而不称字,应是孔子之言。因而有旧注说“子乐”之后脱一“曰”字,或说“乐”为“曰”之讹。　[5]“若由也”二句:子路过于刚勇,孔子怕他会因此不得寿终。

译文

闵子骞站在孔子身旁，正直谦恭的样子；子路站在孔子身旁，刚强勇敢的样子；子贡、冉有站在孔子身旁，温和愉悦的样子。孔子很高兴，但他说："至于仲由，恐怕不得善终。"

鲁人为长府[1]。闵子骞曰："仍旧贯[2]，如之何？何必改作[3]？"子曰："夫人不言，言必有中。"（11.14）

注释

[1]为：即后文的"改作"，指翻新、扩建。长府：藏财货之处。[2]仍：因袭。贯：事，这里指规制。 [3]何必改作：有旧注说"鲁人为长府"是为昭公伐季氏作准备。《左传》昭公二十五年："公居于长府。"杜预注："九月戊戌，伐季氏，杀公之于门，遂入之。"闵子骞认为昭公不得人心，事必败，因而婉言讽谏。杨树达《论语疏证》认为"春秋时上不恤民，故孔子修《春秋》于筑作多讥之；孔子之说，犹闵子之义也"，则闵子骞之言只是讥讽鲁君不体恤百姓。

译文

鲁人扩建长府。闵子骞说："沿袭旧的规制怎么样？为什么一定要改造呢？"孔子说："这个人平时话不多，但一开口必有合理之处。"

子曰："由之瑟[1]，奚为于丘之门？"门人不敬子路。子曰："由也升堂矣，未入于室也[2]。"（11.15）

注释

[1] 由之瑟：子路生性刚勇，《孔子家语》、《说苑》等都记其鼓瑟有北鄙杀伐之声。瑟，古代弦乐器，与古琴相类。　[2] 升堂、入室：古代居室，前为堂，后为室。堂即正厅，较地面略高，故说"升堂"。顺序是先入门，再升堂，最后入室。这里用来比喻学问的深浅。

译文

孔子说："仲由这样鼓瑟，为什么还要到我门前来弹奏？"弟子们因此不尊重子路。孔子说："仲由已经学有所成，但还不够精深。"

子贡问："师与商也孰贤？"子曰："师也过，商也不及。"曰："然则师愈与[1]？"子曰："过犹不及。"（11.16）

注释

[1] 愈：胜过。

译文

子贡问："颛孙师（子张）和卜商（子夏）谁更有贤才？"孔子说："颛孙师有些过头，卜商还不太够。"子贡说："那是颛孙师更胜一筹吗？"孔子说："过头和不及一样不好。"

季氏富于周公[1]，而求也为之聚敛而附益之[2]。子曰："非吾徒也，小子鸣鼓而攻之[3]，可也。"（11.17）

注释

[1]周公：一说指周公旦。一说指春秋时周公，即天子之宰卿士，如周公黑肩、周公阅。　[2]求也为之聚敛：冉有当时为季氏宰，据《左传》哀公十一年，季氏欲增加赋税，用田赋，让冉有向孔子征求意见，孔子希望冉有劝季氏“敛从其薄”，不被听从。次年春，用田赋。聚敛，敛财，有搜刮的意思。　[3]小子：对门人的称呼。鸣鼓而攻之：犹言声讨冉有之过。其实是深责季氏。

译文

季氏比周公还要富有，而冉求仍帮他搜刮以增加财富。孔子说：“冉求不是我的学生了，你们可以大张旗鼓地去声讨他。”

柴也愚[1]，参也鲁，师也辟[2]，由也喭[3]。（11.18）

注释

[1]柴：孔子弟子高柴，字子羔。　[2]辟：偏激。[3]喭（yàn）：刚猛鲁莽。

译文

高柴愚笨，曾参鲁钝，颛孙师偏执，仲由鲁莽。

子曰：“回也其庶乎[1]，屡空[2]。赐不受命，而货殖焉[3]，亿则屡中[4]。”（11.19）

注释

[1]庶：庶几，差不多。这里指近于道。　[2]空：空匮，指陷入贫困。　[3]“赐不受命”二句：货殖，经商生财。关于“不受命”的解释，分歧较多。命，或释为教命，意为子贡不听从孔子教训。或释为天命，意为子贡不接受天命，但在孔子看来天命似乎不可违抗、不能选择接受与否。或释为禄命、爵命，意为子贡不曾做官，但据《史记·仲尼弟子列传》，子贡曾相鲁卫。或释为官命，据俞樾《群经平议》所考，古时经商者必须受命于官。[4]亿则屡中：这里或专指子贡与货殖，常能猜中行情。亿，测度。

译文

孔子说：“最接近于道的是颜回，却屡次陷于贫穷困苦的境地。端木赐不听命运的安排，行商生财，常能猜中事情的走向。”

子张问善人之道。子曰：“不践迹，亦不入于室[1]。”（11.20）

注释

[1]“不践迹”二句：践迹，遵循前人的旧迹。入于室，与前“登堂入室”意同，有深奥的意思。对这两句话主要有两种理解。一说问“善人之道”是问如何可以称为善人，则“不践迹”是言善人的优点，意为善人不必拘泥前人的旧迹，也不会为恶；“不入于室”是言善人的不足之处。一说问“善人之道”是问善人如何进一步修身自处，则“践迹”是“入于室”的条件，意为不遵循前人旧迹，其学识便不能到达精深处。

译文

子张问怎样做才是善人。孔子说："不必遵循前人的旧迹，但他的学识也没达到精深的地步。"

子曰："论笃是与[1]，君子者乎？色庄者乎[2]？"（11.21）

注释

[1]论笃是与："与论笃"的倒装。意为称许言语笃实质朴的人。是，助词，无义。与，称许。　[2]色庄：神色庄严，这里指伪装庄严。

译文

孔子说："只以言语笃实取人，怎么知道他真是君子，还是伪装庄严的人？"

子路问："闻斯行诸[1]？"子曰："有父兄在，如之何其闻斯行之？"冉有问："闻斯行诸？"子曰："闻斯行之。"公西华曰："由也问'闻斯行诸'，子曰'有父兄在'；求也问'闻斯行诸'，子曰'闻斯行之'。赤也惑，敢问。"子曰："求也退，故进之；由也兼人[2]，故退之。"（11.22）

注释

[1]闻斯行诸：听到它就去做吗？ [2]兼人：何晏《论语集解》引郑玄注："子路务在胜尚人。"指子路争强好胜，胆大过人。

译文

子路问："听到一件事，就立即行动吗？"孔子说："父亲和兄长都在世，怎么能听到了就立即行动呢？"冉有问："听到一件事，就立即行动吗？"孔子说："立即行动。"公西华说："仲由问是否听到了就立即行动，您说'父亲和兄长还在世'；冉求问是否听到了就立即行动，您说'立即行动'。我很困惑，想请教其中的道理。"孔子说："冉求生性怯弱，我要对他有所促进；仲由过于鲁莽，我要对他有所劝诫。"

子畏于匡[1]，颜渊后。子曰："吾以女为死矣。"曰："子在，回何敢死[2]？"（11.23）

注释

[1]子畏于匡：见《子罕第九》9.5注[1]。 [2]"子在"二句：钱穆《论语新解》："何敢死，言不敢轻身赴斗。孔子尚在，明道传道之责任大，不敢轻死，一也。弟子事师如事父，父母在，子不敢轻死，二也。颜子虽失在后，然明知孔子之不轻死，故己亦不敢轻身赴斗，三也。"

译文

孔子被匡人围困，失散的颜渊最后才来。孔子说："我以为你死了。"颜渊说："老师还在，我怎么敢轻易死？"

季子然问[1]："仲由、冉求可谓大臣与？"子曰："吾以子为异之问[2]，曾由与求之问[3]。所谓大臣者，以道事君，不可则止。今由与求也，可谓具臣矣[4]。"曰："然则从之者与？"子曰："弑父与君，亦不从也[5]。"（11.24）

注释

[1] 季子然：人名，季氏的同族人。 [2] 异之问："问异"的倒装，问其他的人。 [3] 曾由与求之问：曾，竟然。由与求之问，"问由与求"的倒装。有旧注说仲由、冉求当时任季氏家臣，季子然为夸耀得此二人而向孔子发问，孔子借轻视二人来抑季子然。 [4] 具臣：何晏《论语集解》引孔安国注："言备臣数而已。"或说是才具之臣。 [5] "弑父"二句：有旧注以为孔子之言是暗示二人不会助季氏为乱。

译文

季子然问："仲由和冉求可以称得上大臣吗？"孔子说："我以为你要问其他的人，竟然是问仲由与冉求啊。所谓的大臣，以正道侍奉国君，若行不通，他宁可辞官。现在仲由和冉求这两个人，只是充数备位的臣子。"季子然说："那他们应该是顺从上级的人吧？"孔子说："弑父、弑君这样大逆不道的事，他们是不会顺从的。"

子路使子羔为费宰。子曰："贼夫人之子[1]。"子路曰："有民人焉，有社稷焉[2]。何必读书，然

后为学？”子曰：“是故恶夫佞者。”（11.25）

注释

[1]贼：害。　　[2]社：土神。稷：谷神。

译文

子路让子羔去做费邑的邑宰。孔子说：“这是害人家的子弟。”子路说：“那里有人民，有祭祀土地神和谷神的神庙。为什么一定要读书，然后才算是学习？”孔子说：“所以我讨厌巧言强辩的人。”

子路、曾皙[1]、冉有、公西华侍坐。子曰：“以吾一日长乎尔，毋吾以也[2]。居则曰：‘不吾知也！’如或知尔，则何以哉？”

子路率尔对曰[3]：“千乘之国，摄乎大国之间[4]，加之以师旅，因之以饥馑[5]。由也为之，比及三年[6]，可使有勇，且知方也[7]。”

夫子哂之[8]。“求，尔何如？”

对曰：“方六七十，如五六十[9]，求也为之，比及三年，可使足民。如其礼乐，以俟君子。”

“赤，尔何如？”

对曰：“非曰能之，愿学焉。宗庙之事，如会同[10]，端章甫[11]，愿为小相焉。”

“点，尔何如？”

鼓瑟希，铿尔，舍瑟而作[12]，对曰：“异乎三子者之撰[13]。”

子曰：“何伤乎？亦各言其志也。”

曰：“莫春者[14]，春服既成，冠者五六人[15]，童子六七人，浴乎沂，风乎舞雩[16]，咏而归。”

夫子喟然叹曰：“吾与点也[17]！”

三子者出，曾皙后。曾皙曰：“夫三子者之言何如？”

子曰：“亦各言其志也已矣。”

曰：“夫子何哂由也？”

曰：“为国以礼，其言不让，是故哂之。”

“唯求则非邦也与？”

“安见方六七十如五六十而非邦也者？”

“唯赤则非邦也与？”

“宗庙会同，非诸侯而何？赤也为之小，孰能为之大？”（11.26）

注释

[1]曾皙：孔子弟子曾点，字子皙，曾参之父。　[2]毋吾以也：

主要有三种解释。一、郑玄本“以”作“已”,止也,意为毋因我年长,止而不言。二、以,用也。与上下文相连,意为我比你们年老,终不见用,你们还年轻,可以说说平日的志向。三、“毋以吾”的倒装,意为不要把我比你们年长当回事。　[3]率尔:轻率的样子。[4]摄:夹。　[5]因:加。饥馑:谷不熟称饥,菜不熟称馑,泛指饥荒。　[6]比及:等到。　[7]知方:知道大义所在。方,义方。　[8]哂(shěn):微笑。　[9]“方六七十”二句:方六七十里、五六十里的国家都是小国。如,或作“或”解,或作“与”解,皆可通。下文“如会同”的“如”字也是如此。　[10]会同:诸侯朝见天子称会,诸侯共同约见称同。泛指诸侯相见。　[11]端:玄端,黑色的礼服。章甫:黑缯制成的礼帽。　[12]作:站起来。[13]撰(zhuàn):才具,志向。　[14]莫春:每一季三个月,初称孟,次称仲,后称季。暮春指季春之末,即农历三月末。莫,同“暮”。　[15]冠者:成年人。古时候男子二十岁行冠礼,结发戴冠,表示已经成年。　[16]舞雩(yú):求雨的祭坛。[17]吾与点也:与,赞同。对这句话的理解分歧较多。黄震《黄氏日钞》认为曾皙是“无意于世”的“孔门狂者”,孔子以行道救世为心,而时不我与,“忽闻曾皙浴沂咏而归之言,若有触其浮海居夷之云者,故不觉喟然而叹,盖其意之所感者深矣。所与虽点,而所以叹者岂惟与点哉!继答曾皙之问,则力道三子之美。夫子岂以忘世自乐为贤,独与点而不与三子者哉?”

译文

子路、曾皙、冉有、公西华陪侍孔子坐着。孔子说:“我年纪比你们大,但不要把这当回事。你们平时常说:‘没人了解我啊!’如果有人了解,那你们有什么才学可以应用呢?”

子路抢先回答："一个拥有千辆战车的国家，夹在大国中间，受到别国军队的侵犯，继而又遭饥荒。我来治理，等到三年以后，可以让百姓有勇气，而且明晓大义所在。"

孔子微微一笑，问道："冉求，你呢？"

冉求回答："方圆六七十里或是五六十里的小国家，我来治理，等到三年以后，可以人丁兴旺。至于礼乐教化，只能等待君子去完成了。"

"公西赤，你呢？"

公西赤回答："并不是说我能完成，只是愿意学着去做。宗庙祭祀的典礼，或是诸侯约同的会盟，我愿意穿戴着礼服礼帽，做一个小司仪。"

"曾点，你呢？"

曾皙琴音渐缓，铿然一声放下瑟，起身作答："我的志向与他们不同。"

孔子说："那又何妨？只是各人说说自己的志向。"曾皙说："暮春三月，春季的衣服都做好了，我与五六个成人、六七个童子在沂水边洗澡，在求雨的祭坛上吹风，而后唱着歌走回来。"

孔子长叹一声，说道："我赞同曾点啊！"

子路、冉有、公西华先退出来，曾皙留在最后。曾皙问道："他们三位的话怎么样？"

孔子说："只是各人说说自己的志向罢了。"

曾皙又问："那您为什么笑仲由呢？"

孔子说："治理国家当用礼，但他讲话一点不知礼让，所以笑他。"

"冉求所说的不是国家大事吗？"

"怎么见得方圆六七十里或是五六十里的地方就不是国家呢？"

"公西赤所说的不是国家大事吗？"

"祭祀与盟会，不是诸侯之事又是什么呢？公西赤如果只做小司仪，那谁又能做大司仪呢？"

文史链接

孔门十哲

孔子带领弟子周游列国，路上并不顺利，在陈国、蔡国之间甚至断了粮食。孔子后来回忆起这些同他患难与共的弟子，举出了十个特别优秀的：品行出众的颜回、闵子骞、冉伯牛和仲弓，擅长跟人打交道的宰我和子贡，善于处理政务的冉有和子路，熟习典籍文献的子游和子夏。

可惜的是颜渊与冉伯牛短命，无所表现；其余的弟子都受到当政者的赏识：闵子骞曾被季氏招为费宰，但他坚决推辞。仲弓做过季氏的家宰。宰我受到鲁哀公的询问。子贡屡次出使国外，不辱使命。子路主持过堕毁三家都邑的大事，后来又在卫国做官。子游出任过武城宰。子夏做过晋国大夫魏成子的老师。他们都是当时的闻人，在上层社会中很有影响力。后人尊称他们为"孔门十哲"。

鲁国的"三家"

"三桓"，或称"三家"，是鲁国的三家贵族，即孟孙氏、叔孙氏、季孙氏。三族是鲁桓公之子仲庆父（亦称孟氏）、叔牙、季友的后裔，所以称作三桓。鲁国公室自宣公起日益衰弱，政权掌握在三桓手上，其中又以季氏为最。

鲁昭公不甘心大权旁落，出兵讨伐季氏，没料到三家竟联合起来对抗公室。昭公大败，逃往齐国，齐人为他从鲁国那里夺来一块地，让他住下。几年之后，昭公想回祖国，便去求晋顷公帮忙。

季平子自然不愿意鲁公回来，于是暗中贿赂晋国的大臣，让他们劝阻晋侯。晋侯最终安排鲁昭公住在晋国的干侯，没有答应他的请求。四年之后，鲁昭公死了。一位诸侯最终客死他乡。

“姓”与“氏”

先秦时期，贵族有姓氏，姓与氏两者之间又有区别。

姓起源于部落的名称或是首领的名字。古代有同姓不婚的制度，所以女子称姓以示与夫家之姓有所区别。氏是姓的分支，一个氏的建立表示一个分支从原来的大家族中脱离出来，另立门户。一般只有贵族有氏，氏的来源主要有五种：一、以所拥有的国名、邑名为氏，比如晋国大夫毕万采地为魏，后世子孙便以魏为氏。二、以官名为氏，比如司马、司城。三、以职业名为氏，比如陶氏、巫氏。四、以住地之名为氏，比如东门、桐门。五、以同君主血缘关系远近之称为氏，比如公子、公孙。六、以祖父之字为氏。这几种取氏的方式都是其特殊地位的象征，所以古代男子称氏，以别贵贱；一般的庶民则没有氏。

春秋以前，贵族之姓承袭自远祖，因此百代不易。氏为贵族得自与自己血缘关系较亲近的先人，所以数代即发生变化。到了春秋战国时期，氏开始转变为姓，比如本属于妫姓的齐国田氏，至战国时已以田为姓。秦汉以后，姓、氏之间不再作严格的区别。

思考讨论

根据《论语》及《史记》中的《孔子世家》与《仲尼弟子列传》，简述本章列举的在德行、言语、政事、文学四方面表现优异的孔门高弟的主要行迹。

颜渊第十二

颜渊问仁。子曰："克己复礼为仁[1]。一日克己复礼，天下归仁焉[2]。为仁由己，而由人乎哉？"颜渊曰："请问其目[3]。"子曰："非礼勿视，非礼勿听，非礼勿言，非礼勿动。"颜渊曰："回虽不敏，请事斯语矣。"（12.1）

退修诗书图

注释

[1]克己：主要有三种解释。一、何晏《论语集解》引马融注："克己，约身。"约有约束意，约身犹言修身。二、朱熹《论语集注》："克，胜也。己，谓身之私欲也。"意为克制己之私欲。三、皇侃《论语义疏》引范宁："克，责也。"意为刻责己之失礼。 [2]归：毛奇龄《论语稽求篇》以为归仁即称仁，"《礼记·哀公问》：'君子也者，人之成名也。百姓归之，名谓之。'则百姓之归亦只是名谓之义"，归有称赞的意思，即将令名归于此人。 [3]目：条目，要目。

译文

颜渊请教什么是仁。孔子说："约束自己，使自己的言行合于礼，就是仁。若有一天真的做到了克己复礼，天下都会将仁德的美名归于你。实践仁道全在于自己，怎么会在于别人？"颜渊说："请问践行仁道的要目。"孔子说："不合礼的事不看，不合礼的话不听，不合理的话不说，不合理的事不做。"颜渊说："我虽不聪敏，也会力行老师的教诲。"

仲弓问仁。子曰："出门如见大宾，使民如承大祭[1]。己所不欲，勿施于人。在邦无怨，在家无怨[2]。"仲弓曰："雍虽不敏，请事斯语矣。"（12.2）

注释

[1]"出门"二句：盖为古语。《左传》僖公三十三年："晋臼季曰：'臣闻之，出门如宾，承事如祭，仁之则也。'" [2]邦、家：邦指诸侯之邦，家指卿大夫之家。或说在邦、在家泛指在外、在内。无怨：指不为人所怨。或说是"不怨天尤人"之意。

译文

仲弓请教什么是仁。孔子说："出门在外，待人接物好像会见重要的宾客；在位任职，役使民力好像承担重大的祭祀。自己不想要的，就不要施加给别人。不论在邦在家，都不会招致怨恨。"仲弓说："我虽然不聪敏，也会力行老师的教诲。"

司马牛问仁[1]。子曰："仁者，其言也讱[2]。"曰："其言也讱，斯谓之仁已乎？"子曰："为之难，言之得无讱乎？"（12.3）

注释

[1] 司马牛：孔子弟子司马耕，字子牛。《史记·仲尼弟子列传》说他"多言而躁"。　　[2] 讱（rèn）：言语慎重。

译文

司马牛请教什么是仁。孔子说："有仁德的人寡言少语，说话慎重。"司马牛说："说话慎重，这就称为仁吗？"孔子说："做事不容易，言语能不慎重吗？"

司马牛问君子。子曰："君子不忧不惧。"曰："不忧不惧，斯谓之君子已乎？"子曰："内省不疚[1]，夫何忧何惧？"（12.4）

注释

[1]疚：愧疚。钱穆《论语新解》："然徒求不忧不惧，其人岂便为君子？盖非不忧不惧之为贵，乃其内省而无疚之为贵。"

译文

司马牛请教怎样做称得上君子。孔子说："君子不忧虑、不畏惧。"司马牛说："不忧虑、不畏惧，这就能称作君子吗？"孔子说："反省自己的言行毫无愧疚，还有什么忧虑畏惧？"

司马牛忧曰："人皆有兄弟，我独亡[1]。"子夏曰："商闻之矣，死生有命，富贵在天。君子敬而无失，与人恭而有礼。四海之内皆兄弟也。君子何患乎无兄弟也？"（12.5）

注释

[1]"人皆有"二句：旧注说司马牛是桓魋之弟，且其兄弟不止桓魋一人，但都与桓魋一同谋乱，或奔或死，故有此叹。亡，通"无"。

译文

司马牛忧愁地说："别人都有兄弟，唯独我没有。"子夏说："我曾听说，生死属命中注定，富贵由天意安排。君子敬慎处世而不出差错，恭敬待人而彬彬有礼。天下之大到处都能结识兄弟。君子何必担心没有兄弟呢？"

子张问明。子曰：“浸润之谮[1]，肤受之愬[2]，不行焉，可谓明也已矣。浸润之谮，肤受之愬，不行焉，可谓远也已矣。”（12.6）

注释

［1］浸润：渗透。像水浸染湿润物体一般渐渐渗入。谮（zèn）：谮毁，谗言。　［2］肤受之愬（sù）：指利害切身的控告。肤，切肤。愬，同“诉”，控告。或说“肤受之愬”指不合实情的控告。

译文

子张请教怎样做称得上明白事理。孔子说：“日渐渗入的谗言，利害切身的控告，都对你不起作用，那可以说是明白事理了。日渐渗入的谗言，利害切身的控告，都对你不起作用，那就可以说是见识深远了。”

子贡问政。子曰：“足食，足兵[1]，民信之矣。”子贡曰：“必不得已而去，于斯三者何先？”曰：“去兵。”子贡曰：“必不得已而去，于斯二者何先？”曰：“去食。自古皆有死，民无信不立[2]。”（12.7）

注释

［1］兵：兵器，武备。　［2］“自古”二句：钱穆《论语新解》：“然子适卫，告冉有：‘既庶矣，当富之。既富矣，当教之。’

与本章足食在前，而兵与信次之同意；可见为政者首以使民得食，能保其生为先。惟遇不得已，则教民轻食重信。一处常，一处变，读者须于此善体，不可徒认‘自古皆有死’之单辞，遂谓为政者可以不顾民命，而高悬一目标以强民之必从。”

译文

子贡请教为政之道。孔子说：“粮食富足，武备充足，取信于民。”子贡问：“如果迫不得已要去掉一项，在这三项中先去掉哪一项？”孔子说：“去掉武备。”子贡又问：“如果迫不得已还要去掉一项，在剩下的两项中先去掉哪一项？”孔子说：“去掉粮食。自古以来人难免一死，但执政者不取信于民便无法立国。”

棘子成曰[1]：“君子质而已矣，何以文为[2]？”子贡曰：“惜乎！夫子之说君子也[3]。驷不及舌[4]。文犹质也，质犹文也，虎豹之鞟犹犬羊之鞟[5]。”（12.8）

注释

[1]棘子成：卫大夫。　[2]何以文为：有旧注说棘子成感叹时人有文无质，故有此言。或说是讥讽孔子教育子贡等弟子过于偏重文采。文，文采。　[3]夫子：代指棘子成。　[4]驷：四匹马拉的车。　[5]“文犹质”二句：皮去毛称鞟（kuò），虎豹皮的毛有纹彩，犬羊皮的毛无纹彩，如果除去毛，则无法区分二者。“文犹质也，质犹文也”，一说是子贡复述棘子成的观点，邢昺《论语疏》：“此子贡举喻言文章不可去也。皮去毛曰鞟。言君子野人异者，质文不同故也，虎豹与犬羊别者，正以毛文异耳。今若文

犹质，质犹文，使文质同者，则君子与鄙夫何以别乎？如虎豹之皮去其毛文以为之鞟，与犬羊之鞟同处，何以别虎豹与犬羊也？”或说是子贡反驳棘子成的观点，言文质同等重要，缺一不可。

译文

棘子成说：“君子只要质朴就可以了，哪里用得着文采？”子贡说：“您评论君子的话，真是可惜啊！一言既出，驷马难追。如果文采就是质实，质实就是文采，那去掉毛的虎豹皮便和去掉毛的犬羊皮一样了。”

哀公问与有若曰：“年饥，用不足，如之何？”有若对曰：“盍彻乎[1]？”曰：“二[2]，吾犹不足，如之何其彻也？”对曰：“百姓足，君孰与不足？百姓不足，君孰与足？”（12.9）

注释

[1]盍(hé)：何不。彻：周代税法，税率取十分之一。　[2]二：指当时鲁国所行的取十分之二的税法。据《左传》，自宣公十五年，鲁国在彻税之外又实行十分取一的亩税制度，共计十分取二。

译文

鲁哀公问有若：“年岁饥荒，国家用度不足，怎么办？”有若回答说：“为何不实行十分取一的税法呢？”哀公说：“现在收取十分之二的税，我还觉得不够用，怎么能实行十分取一的税法？”有若回答说：“若是百姓富足了，国君还会不足吗？若是百姓不足，国君又怎么会富足？”

子张问崇德、辨惑。子曰："主忠信，徙义，崇德也。爱之欲其生，恶之欲其死。既欲其生，又欲其死，是惑也。'诚不以富，亦祇以异[1]。'"（12.10）

注释

[1]"诚不"二句：出自《诗经·小雅·我行其野》。用在这里语意难明。程颐说是错简，应在《季氏第十六》"齐景公有马千驷"（16.12）章之上，因下章有齐景公而误。何晏《论语集解》引郑玄注："言此行诚不可以致富，适足以为异耳。取此诗之异义以非之也。"

译文

子张请教怎样做才能提高品德、明辨疑惑。孔子说："以忠诚信实的品德为主，又能合于正义，这样就能提高品德。喜欢一个人的时候期盼他长生，厌恶一个人的时候恨不得他速死。一会儿想要他活，一会儿想要他死，这就是人迷惑无常的心理。"

齐景公问政于孔子。孔子对曰："君君[1]，臣臣，父父，子子。"公曰："善哉！信如君不君，臣不臣，父不父，子不子，虽有粟，吾得而食诸？"（12.11）

注释

[1]君君：君行君道。以下"臣臣"、"父父"、"子子"结构与此相同。

译文

齐景公向孔子询问为政之道。孔子回答说："君主像君主，臣子像臣子，父亲像父亲，儿子像儿子。"齐景公说："对啊！要是君主不像君主，臣子不像臣子，父亲不像父亲，儿子不像儿子，即使有粮食，我吃得着吗？"

子曰："片言可以折狱者[1]，其由也与？"子路无宿诺[2]。（12.12）

注释

[1] 片言：简明扼要的几句话。或说即单辞，打官司时一方的言辞。片，半也。折：判决。 [2] 宿诺：拖延诺言，不按时践行。宿，留。

译文

孔子说："用扼要的几句话就可以判决诉讼的，大概只有仲由了吧？"子路从不拖延自己许过的诺言。

子曰："听讼[1]，吾犹人也。必也使无讼乎！"（12.13）

注释

[1] 听讼：听取讼词来决断是非。

译文

孔子说："决断诉讼，我同别人差不多。一定要使人们没有可争讼的事才好！"

子张问政。子曰:“居之无倦[1],行之以忠。”(12.14)

注释

[1]居:居位,或说居心。钱穆《论语新解》:“居位不倦,其居心不倦可知。”

译文

子张请教为政。孔子说:“居身在位要做到心无厌倦,推行政令要做到出于忠心。”

子曰:“博学于文,约之以礼,亦可以弗畔矣夫。”(12.15)

译文

见《雍也第六》6.27。

子曰:“君子成人之美[1],不成人之恶[2]。小人反是。”(12.16)

注释

[1]成:朱熹《论语集注》:“成者,诱掖奖劝以成其事也。”或说成立,成人之美即立人之善名。　　[2]成人之恶:《大戴礼记·曾子立事》:“不说人之过,成人之美。”成人之恶或即“说人之过”,意为文饰别人的缺点,使人无意于悔改。

译文

孔子说："君子成就别人的美德，不助成别人的恶行。小人则与此相反。"

季康子问政于孔子。孔子对曰："政者，正也。子帅以正，孰敢不正？"（12.17）

译文

季康子向孔子询问为政之道。孔子回答说："政就是正的意思。如果您能做表率行正道，那么谁还敢不正呢？"

季康子患盗，问于孔子。孔子对曰："苟子之不欲，虽赏之不窃。"（12.18）

译文

季康子担忧鲁国盗贼太多，问孔子该怎么办。孔子回答说："如果您没有贪欲，即使奖赏百姓去做盗贼，他们也耻于这样做。"

季康子问政于孔子曰："如杀无道，以就有道[1]，何如？"孔子对曰："子为政，焉用杀？子欲善，而民善矣。君子之德风，小人之德草[2]。草上之风，必偃[3]。"（12.19）

注释

[1] 就：成就。 [2] 君子、小人：这里的君子指在位者，小人指百姓。 [3]“草上”二句：草加以风，草必随风的方向倾倒，这里用来比喻上行下效。上，动词，加。偃（yǎn），倒。

译文

季康子向孔子请教关于为政的问题：“如果多杀无道之人，以成就善道，怎么样？”孔子说：“您执政，何必杀人？您要向善，百姓也会跟着向善。君子的德行是风，百姓的德行是草。风在草上，草必随风倾倒。”

子张问：“士何如斯可谓之达矣？”子曰：“何哉，尔所谓达者[1]？”子张对曰：“在邦必闻，在家必闻。”子曰：“是闻也，非达也[2]。夫达也者，质直而好义，察言而观色，虑以下人[3]。在邦必达，在家必达。夫闻也者，色取仁而行违，居之不疑。在邦必闻，在家必闻。”（12.20）

注释

[1]“何哉”二句：“尔所谓达者何哉”的倒装形式。有旧注说子张重于外，孔子因此故意反问他，以纠正他的偏失。
[2]“是闻也”二句：皇侃《论语义疏》引沈居士：“达者德立行成，闻者有名而已。”闻，闻名。达，显达、通达。 [3] 下：作动词，这里指谦退。

译文

子张问："读书人怎么做才称得上达呢？"孔子说："你所说的达是什么？"子张回答说："无论在诸侯国中为官，还是在卿大夫家中任职，都一定会有声名。"孔子说："你说的只是闻，不是达。所谓的达者，品德正直，行事合宜，善于观察别人的语言和神色，而且存着恭顺谦退之心。这样的人在国家中做官必然通达，在卿大夫家任职也必然通达。至于闻名，只是表面上爱好仁义，行为则与之相背，却自居仁者之名从不怀疑。这样的人，不论在国中还是在家里，一定会有声名。"

樊迟从游于舞雩之下，曰："敢问崇德、修慝[1]、辨惑。"子曰："善哉问！先事后得，非崇德与？攻其恶[2]，无攻人之恶，非修慝与？一朝之忿，忘其身，以及其亲，非惑与？"（12.21）

注释

[1]修：治，这里指消除。慝（tè）：隐匿在心中的恶念。

[2]其：代指自己。

译文

樊迟跟随孔子在舞雩台下闲游，说道："请问怎样提高品德、消除恶念、明辨疑惑？"孔子说："问得好啊！先付出辛劳，后想着收获，不就是提高品德吗？批判自己的错误，不指责别人的错误，不就是消除恶念吗？因为一时的愤怒，便忘了自身的安危，也不顾及父母，不就是疑惑吗？"

樊迟问仁。子曰："爱人。"问知[1]。子曰："知人。"樊迟未达[2]。子曰："举直错诸枉，能使枉者直[3]。"樊迟退，见子夏曰："乡也吾见于夫子而问知[4]，子曰：'举直错诸枉，能使枉者直。'何谓也？"子夏曰："富哉言乎！舜有天下，选于众，举皋陶[5]，不仁者远矣[6]。汤有天下，选于众，举伊尹[7]，不仁者远矣。"（12.22）

注释

[1]知：同"智"。 [2]达：明白。 [3]"举直"二句：朱熹《论语集注》："举直错枉者，知也。使枉者直，则仁矣。如此，则二者不惟不相悖而反相为用矣。"错，通"措"，放置。诸，"之于"的合音。 [4]乡：同"向"，刚才。 [5]皋陶（yáo）：舜时的贤臣。 [6]远：皇侃《论语义疏》引蔡谟云："若孔子言能使枉者去，则是智也。今云能使枉者直，是化之也。"也可理解作皇侃按语中所言"远是远恶行，更改为善行也"。 [7]伊尹：汤时的贤臣。

译文

樊迟请教什么是仁。孔子说："爱人。"樊迟又请教什么是智。孔子说："知人。"樊迟不明白。孔子又说："举用正直的人，安置在邪枉的人之上，这样能使邪枉的人变得正直。"樊迟退了出来，见到子夏，说："刚才我去见老师，向他请教什么是智，他说：'举用正直的人，安置在邪枉的人之上，这样能使邪枉的人变得正直。'

这是什么意思？”子夏说：“这话的意思多丰富啊！舜有了天下，在众人中挑选贤才，推举了皋陶，不仁的人便难以存在了。汤有了天下，在众人中挑选贤才，推举了伊尹，不仁的人便难以存在了。”

子贡问友。子曰：“忠告而善道之[1]，不可则止，毋自辱焉。”（12.23）

注释

[1] 道：引导。

译文

子贡请教交友之道。孔子说：“对他忠实地劝告，耐心地开导，如不听就作罢，免得自取其辱。”

曾子曰：“君子以文会友，以友辅仁[1]。”（12.24）

注释

[1]“君子”二句：朱熹《论语集注》：“讲学以会友，则道益明；取善以辅仁，则德日进。”

译文

曾子说：“君子以学问结交朋友，并以朋友辅助自己培养仁德。”

文史链接

片言折狱

子路虽然鲁莽，性情却是正直而磊落的。孔子对他有这样一句赞语："片言可以折狱者，其由也与？"（《颜渊第十二》12.12）

"片言"指简单的几句话，"折狱"指判决诉讼案件，这句话意为：用简明扼要的几句话就能判决诉讼的，大概只有子路了吧？子路有这样的才能，是因为他公正无私，明于决断，三言两语便能让人信服。

后来形容措辞精练、明断是非，就叫"片言折狱"，或是"片言可决"、"片言决狱"。"片言"也可以与"只语"组合成一个词，指极短的几句话、几个字。"片言只语"也作"片言只字"或是"片纸只字"。

颜　回

颜回，字子渊，春秋时期鲁国人。出身贫穷，不到四十岁便死了，一生中似乎没有什么现在还可得以考见的大作为，却是孔子最得意的门生。孔子赞其"好学"，还给予"其心三月不违仁"的高度评价。

颜回死在孔子生前。《论语》中有几章以"颜回死"为开头，这一章写得尤为动人：

颜渊死，子哭之恸。从者曰："子恸矣！"曰："有恸乎？非夫人之为恸而谁为？"（《先进第十一》11.10）

孔子哭得悲痛。因为他素来喜欢平和的情绪，以至于弟子们忍不住说道："老师过于哀伤了！"这是一句略带疑惑的感叹。孔子于是答道："我太过哀伤了吗？"言下之意，并不以为自己过度。"我不为这样的人哀伤，还为了谁哀伤？"因为死者是颜回，所以孔子这样哀伤也是理所应当。

颜回家贫，按礼不应不顾条件厚葬。超出家庭负担能力的丧礼，虽是出于对死者的尊重，但在情绪上是过当的、不合情也不合礼的。所以当其他弟子请求厚葬颜回时，孔子不允；颜回的父亲请求他卖掉车马为颜回置备棺材的外椁，孔子也不答应。但最终，颜回的父亲还是厚葬了儿子。孔子不能阻止，毕竟颜回只是他的学生。但在心里，他是另一番感情："颜回把我当父亲，我却不能待他如儿子。这不是我的意思啊，是那些学生们做的主。"他们是情同父子的。

思考讨论

孔子跟子路强调"临事而惧"，跟司马牛强调"不忧不惧"。请从《论语》中再找一些像这样似乎前后矛盾的例子，谈谈你对孔子教育弟子的方法的认识。

子路第十三

子路问政。子曰："先之[1]，劳之[2]。"请益。曰："无倦。"（13.1）

注释

[1]先之：意为在民之先，以身作则。之，代指百姓。　[2]劳之：与上文相连，意为在位者先带头，然后让百姓勤劳工作。劳，勤劳。《国语·鲁语》："昔圣王之处民也，择瘠土而处之，劳其民而用之，故长王天下。夫民劳则思，思则善心生；逸则淫，淫则忘善，忘善则恶心生。"

译文

子路请教为政的道理。孔子说："在位者先要以身作则，而后再让百姓出力。"子路请求他再说一点。孔子又说："不要倦怠。"

仲弓为季氏宰，问政。子曰："先有司[1]，赦小过，举贤才。"曰："焉知贤才而举之？"子曰："举尔所知。尔所不知，人其舍诸[2]？"（13.2）

注释

[1]先有司：意为在有司之前作出表率。或说先任命有司，有司既立，则责有所归。有司，官名，指宰臣属下的官吏。　　[2]其：表反问的语气词，难道。

译文

仲弓出任季氏的家宰，请教为政的道理。孔子说："先给属下的官吏作出表率，赦免他们的小过失，任用有德有才的人。"仲弓问："我怎样知道什么人有贤才而任用他呢？"孔子说："任用你知道的。你不知道的，别人难道会不向你推荐吗？"

子路曰："卫君待子而为政[1]，子将奚先？"子曰："必也正名乎[2]！"子路曰："有是哉，子之迂也[3]！奚其正？"子曰："野哉，由也！君子于其所不知，盖阙如也。名不正，则言不顺；言不顺，则事不成；事不成，则礼乐不兴；礼乐不兴，则刑罚不中[4]；刑罚不中，则民无错手足[5]。故君子名之必可言也，言之必可行也。君子于其言，无所苟而已矣[6]。"（13.3）

注释

[1]卫君：见《述而第七》7.15注[1]。　　[2]必也正名乎：正名，一说正名物，使名称与事物相合，比如孔子同子张分别"闻"与"达"（《颜渊第十二》12.20），同冉有分别"政"与"事"（《子

路第十三》13.14)。一说正名分，使名称与地位相合，如孔子劝诫齐景公“君君，臣臣，父父，子子”(《颜渊第十二》12.11)。也有旧注说孔子这句话专就卫事立说，蒯聩企图借赵氏的力量入卫，出公出兵力拒其父亲，是“父不父，子不子”，所以孔子要先为之正名。[3]迂:迂阔。 [4]中(zhòng):得当。 [5]错:通“措”,放置。[6]苟:苟且，马虎。

译文

子路说:“卫君等老师去治理政事，您打算先做什么?”孔子说:“必定先纠正名义。”子路说:“有这个必要吗?老师您太不切实际了!何必纠正它们?”孔子说:“你真鲁莽啊!君子对于自己不知道的事情，应该保持沉默。名义不能纠正，言语便不能顺理成章;言语不能顺理成章，事情便办不好;事情办不好，礼乐教化便不能兴盛;礼乐教化不能兴盛，刑罚便不能得当;刑罚不能得当，百姓便手足无措。所以君子定一事之名必定能说出一番道理，能说出道理的事也必定能实行。君子对自己所说的话，是不可以有一点马虎的。”

樊迟请学稼[1]。子曰:“吾不如老农。”请学为圃[2]。曰:“吾不如老圃。”樊迟出。子曰:“小人哉，樊须也!上好礼，则民莫敢不敬;上好义，则民莫敢不服;上好信，则民莫敢不用情[3]。夫如是，则四方之民襁负其子而至矣[4]，焉用稼?”(13.4)

注释

[1]稼：播种五谷。 [2]圃：种植蔬菜。 [3]情：诚意，诚实。 [4]襁：背负婴儿时用的襁褓。背负着自己的孩子前来，有不召而自来的意思。

译文

樊迟向孔子请教学种庄稼。孔子说：“我不如老农民。”又请教学种蔬菜。孔子说：“我不如老园丁。”樊迟退了出去。孔子说：“樊迟真是小人啊！执政者尊崇礼，百姓无人敢不尊敬；执政者尊崇义，百姓无人敢不服从；执政者尊崇信，百姓无人敢不真诚。若能做到这样，那么各方的人民都会背着自己的孩了来归顺，为什么要自己学种庄稼呢？”

子曰：“诵《诗》三百，授之以政，不达；使于四方，不能专对[1]。虽多，亦奚以为[2]？”（13.5）

注释

[1]专对：独立应对。当时诸侯国间使者往来，有受命不受辞之说。使者出使国外，没有固定的外交辞令，随机应答。凡有利国家的事，可以专断而不必请示。春秋时代盛行赋诗言志的外交方式，常常引用《诗》中的语句表达己意，因此孔子将诵诗与政事外交联系起来。 [2]以：用。为：表疑问的语词。

译文

孔子说：“诵读了《诗》三百篇，交给他国内政事，不能处理妥帖；派遣他出使别国，不能独当一面。虽然读了这么多，又有什么用？”

子曰："其身正，不令而行。其身不正，虽令不从。"（13.6）

译文

孔子说："在上位的人，他本身行为端正，不用下令，老百姓就会跟着做。他本身行为不端正，即使三令五申也不会有人听从。"

子曰："鲁卫之政，兄弟也[1]。"（13.7）

注释

[1]"鲁卫"二句：主要有两种解释。一、就始封而言，鲁国是周公的封国，卫国是康叔的封国，周公、康叔是兄弟，两国的政治情形、地位也略同。二、就当时的政治情况而言，鲁哀公想讨伐三桓，反为三桓所攻，只得流亡越国，是君不君、臣不臣。卫出公与其父蒯聩争国，是父不父、子不子。

译文

孔子说："鲁国与卫国的政治，就像兄弟一样。"

子谓卫公子荆[1]："善居室[2]。始有，曰：'苟合矣[3]。'少有，曰：'苟完矣。'富有，曰：'苟美矣。'"（13.8）

注释

[1]卫公子荆：卫国的公子，卫献公之子。吴公子季札出使卫

国时，曾评价他是君子。事见《左传》襄公二十九年。　[2]善居室：善于持家。　[3]苟：朱熹《集注》："聊且粗略之意。"即差不多的意思。俞樾《群经平议》以为这里苟释为"诚"，"始有之时，未必合也，荆则曰诚合矣。少有之时，未必完也，荆则曰诚完矣。富有之时，未必美也，荆曰诚美矣。故曰善居室"。公子荆的语气与事实不完全吻合，更见其质朴知足，不为奢侈。合：足。

译文

孔子评论魏公子荆："他善于持家。刚有一点，便说：'确实够用了。'稍多一点，便说：'确实完备了。'再多一点，便说：'确实很华美了。'"

子适卫，冉有仆[1]。子曰："庶矣哉！"冉有曰："既庶矣，又何加焉？"曰："富之。"曰："既富矣，又何加焉？"曰："教之。"（13.9）

注释

[1]仆：驾车。

译文

孔子前往卫国，冉有为孔子驾车。孔子说："人口众多啊！"冉有说："人口已经很多了，再进一步应该如何？"孔子说："让他们富足。"冉有又问："已经富足了，更进一步应该如何？"孔子说："让他们受教育。"

子曰："苟有用我者，期月而已可也[1]，三年有成。"（13.10）

注释

[1] 期（jī）月：一周年。

译文

孔子说："如果有人任用我治理国家政事，一年可以稍有起色，三年能够有所成就。"

子曰："'善人为邦百年，亦可以胜残去杀矣[1]。'诚哉是言也！"（13.11）

注释

[1] 残：指残暴的人。杀：指杀戮的刑罚。

译文

孔子说："'善人治理国家一百年，就可以感化残暴之人，废止杀戮之刑。'这话真对啊！"

子曰："如有王者，必世而后仁[1]。"（13.12）

注释

[1] 必世而后仁：三十年为一世。《二程遗书》卷十八："所谓仁者，风移俗易，民归于仁。天下变化之时，此非积久，何以能致？"

译文

孔子说："如果有圣明的君王兴起，必须要三十年才能大行仁政。"

子曰："苟正其身矣，于从政乎何有？不能正其身，如正人何？"（13.13）

译文

孔子说："在位者若能端正自己的言行，治理政事有什么困难？若不能端正自己的言行，怎么纠正他人？"

冉子退朝[1]。子曰："何晏也[2]？"对曰："有政[3]。"子曰："其事也[4]。如有政，虽不吾以[5]，吾其与闻之。"（13.14）

注释

[1]退朝：冉有当时任季氏家宰，退朝指退于季氏的私朝。　[2]晏：晚。　[3]政：国政。或说改革匡正。　[4]事：家事，即季氏私家的事务。或说常行之事。　[5]虽不吾以："虽不以吾"的倒装。意为虽然我不被任用。以，用。

译文

冉有从季氏的私朝回来。孔子说："为什么今天回来晚了？"冉有说："有政务。"孔子说："那只是季氏家里的事务罢了。如果有国事政务，虽然国君已不任用我，我还是会知道的。"

定公问："一言而可以兴邦，有诸？"孔子对曰："言不可以若是，其几也[1]。人之言曰：'为君难，为臣不易。'如知为君之难也，不几乎一言而兴邦乎？"曰："一言而丧邦，有诸？"孔子对曰："言不可以若是，其几也。人之言曰：'予无乐乎为君，唯其言而莫予违也。'如其善而莫之违也，不亦善乎？如不善而莫之违也，不几乎一言而丧邦乎？"（13.15）

注释

[1]"言不可以"二句：有两种断句方法。一、"言不可以若是"与"其几也"各为一句。意为说一句话不能完全达到这样的效果，只能与之相近。几，近。二、九字连作一句。意为仅说一句话，不可以预期它能有这样的效果。几，通"期"，预期。

译文

定公问："一句话就可以让国家兴盛，有这样的事吗？"孔子回答道："一句话不能做到让国家兴盛，但有句话几乎可以达到这样的效果。有人说：'做君主很难，做臣子也不容易。'如果君主真能知道为君难在何处，那不是近于一句话便让国家兴盛吗？"定公又问："一句话就可以让国家灭亡，有这样的事吗？"孔子回答道："一句话不能做到让国家灭亡，但有句话几乎可以达到这样的效果。有人说：'做君主没有其他乐趣，只在于我说的话没有人能违抗。'如果说的话正确而没有人违抗，不是很好吗？但说的话不正确而没有人敢违抗，那不是近于一句话便让国家灭亡吗？"

叶公问政[1]。子曰："近者说，远者来。"（13.16）

注释

[1] 叶公：见《述而第七》7.19 注 [1]。

译文

叶公向孔子询问为政之道。孔子说："让境内的人和乐，让远方的人归服。"

子夏为莒父宰[1]，问政。子曰："无欲速，无见小利。欲速则不达，见小利则大事不成。"（13.17）

注释

[1] 莒父（jǔ fǔ）：鲁国的城邑。

译文

子夏出任莒父的邑宰，向孔子请教为政之道。孔子说："不要图快，不要贪小利。图快反而达不到目的，贪小利反而成不了大事。"

叶公语孔子曰[1]："吾党有直躬者[2]，其父攘羊[3]，而子证之[4]。"孔子曰："吾党之直者异于是。父为子隐，子为父隐，直在其中矣[5]。"（13.18）

注释

[1] 语：这里作动词，告诉。 [2] 直躬：陆德明《经典释文》引郑玄注："直人名弓"。或说直躬即为人正直的意思。 [3] 攘（rǎng）羊：何晏《论语集解》引周生烈说："有因而盗曰攘。"攘羊指别人的羊走到自己家来，便将它占为己有。 [4] 证：告发。 [5] 直在其中矣：朱熹《论语集注》："父子相隐，天理人情之至也。故不求为直，而直在其中。"即正直之道在人情之中，道理不可与人情相悖。

译文

叶公告诉孔子："我家乡有个正直的人叫躬，他的父亲偷了别人的羊，他便告发了自己的父亲。"孔子说："我家乡正直的人跟你说的不同。父亲为儿子隐瞒过失，儿子为父亲隐瞒过失，正直之道就在这里面。"

樊迟问仁。子曰："居处恭，执事敬，与人忠。虽之夷狄，不可弃也。"（13.19）

译文

樊迟向孔子请教什么是仁。孔子说："起居不苟，做事尽心，待人忠诚。这几种品德即使到了蛮族之地，也不能丢弃。"

子贡问曰："何如斯可谓之士矣？"子曰："行己有耻，使于四方，不辱君命，可谓士矣。"曰："敢

问其次。”曰：“宗族称孝焉，乡党称弟焉[1]。”曰：“敢问其次。”曰：“言必信，行必果[2]，硁硁然小人哉[3]！抑亦可以为次矣。”曰：“今之从政者何如？”子曰：“噫！斗筲之人[4]，何足算也？”（13.20）

注释

[1] 弟：同“悌”。 [2] 果：果敢，有决断。 [3] 硁（kēng）硁然：小石头互相撞击时的声音，这里形容固执果决的样子。[4] 斗筲（shāo）之人：比喻见识器量狭小的人。斗，古代计量单位。筲，盛饭的竹制容器，容量较小。

译文

子贡问：“怎么做才能称为士呢？”孔子说：“对自己的行为保持廉耻之心，出使外国，不辜负国君的任命，这样的人可以称为士。”子贡说：“请问次一等的呢？”孔子说：“宗族称赞他孝顺父母，乡人称赞他敬爱兄长。”子贡说：“请问再次一等的呢？”孔子说：“言语必定信实，行为必定果决，这是自以为坚定刚毅的小人行径啊！不过也可以算作再次一等的士。”子贡问：“现在行政执事的人怎么样？”孔子说：“唉！都是器量小得像斗筲一样的人，他们哪里算得上？”

子曰：“不得中行而与之[1]，必也狂狷乎[2]。狂者进取，狷者有所不为也。”（13.21）

注释

[1] 中行：依循中道行事。与之：一说是与中行之人相处。一说孔子有传道之意，欲传道给中行之人。　[2] 狂狷（juàn）：朱熹《论语集注》："狂者，志极高而行不掩。狷者，知未及而守有余。"

译文

孔子说："即使不能跟言行合乎中道的人结交，也一定要结交那些狂狷的人。狂者志在进取，狷者不做不屑做的事。"

子曰："南人有言曰[1]：'人而无恒，不可以作巫医[2]。'善夫！""不恒其德，或承之羞[3]。"子曰："不占而已矣[4]。"（13.22）

注释

[1] 南人：指南国之人。　[2] 巫医：古代常常以巫术、祷告为人治病，所以称巫医。　[3]"不恒"二句：出自《周易·恒卦·九三爻辞》。不恒其德，"其德不恒"的倒装。或，常也。承，承接。意为人若无恒德，常有羞辱继承其后。　[4] 不占而已矣：不必占卜。一说卜巫不能占卜无恒之人，占之亦无准。一说无恒德之人，卜之必凶。

译文

孔子说："南方人有话说：'一个人如果没有恒心，连巫医都不能做。'这话说得好啊！"《周易》恒卦的爻辞说："一个人如果没有恒心，常会有羞辱紧随其后。”孔子说：“这样的人就不必占卜了。”

子曰：“君子和而不同[1]，小人同而不和。”（13.23）

注释

[1]和、同：不同事物的调和、融洽，称为和。即《国语·郑语》史伯所言“以他平他谓之和”。如五味相调而成食，五音相调而成乐。同则指同类事物，同类不能相济。如《左传》昭公二十年晏子所言：“若以水济水，谁能食之？若琴瑟之专一，谁能听之？同之不可也如是。”这里的和，指和于他人，同，指同于他人。刘宝楠《论语正义》曰：“和因义起，同由利生。义者宜也，各适其宜，未有方体，故不同。然不同因乎义，而非执己之见，无伤于和。利者，人之所同欲也。民务于是，则有争心，故同而不和。此即君子、小人之异也。”

译文

孔子说：“君子与他人融洽而不苟同，小人与他人苟同而不融洽。”

子贡问曰：“乡人皆好之，何如？”子曰：“未可也。”“乡人皆恶之，何如？”子曰：“未可也。不如乡人之善者好之，其不善者恶之。”（13.24）

译文

子贡问道："乡里的人都喜欢他，这个人怎么样？"孔子说："还不能肯定。""乡里的人都厌恶他，这个人怎么样？"孔子说："还不能肯定。不如乡里的好人都喜欢他，恶人都厌恶他。"

子曰："君子易事而难说也[1]。说之不以道，不说也；及其使人也，器之[2]。小人难事而易说也。说之虽不以道，说也；及其使人也，求备焉。"（13.25）

注释

[1] 事：侍奉。说：同"悦"，取悦。　[2] 器：朱熹《论语集注》："器之，谓随其材器而使之也。"即各尽其长、各得其用的意思。

译文

孔子说："君子容易侍奉却难以取悦。不用正当的方式使他高兴，他是不会高兴的；等到他用人时，能取人所长，各得其用。小人难以侍奉却容易取悦，即使用不正当的方式讨好他，他也会高兴；等到他用人时，却求全责备。"

子曰："君子泰而不骄[1]，小人骄而不泰。"（13.26）

注释

[1] 泰：舒泰，安舒。

译文

孔子说："君子安舒而不骄纵，小人骄纵而不安舒。"

子曰："刚、毅、木、讷，近仁。"（13.27）

译文

孔子说："刚强、果决、质朴、慎言，这四种品德接近于仁。"

子路问曰："何如斯可谓之士矣？"子曰："切切偲偲[1]，怡怡如也[2]，可谓士矣。朋友切切偲偲，兄弟怡怡。"（13.28）

注释

[1]切切偲（sī）偲：相互责善、勉励的样子。　[2]怡怡如：和顺的样子。

译文

子路问："怎样做才可称为士呢？"孔子说："相互勉励，和睦共处，就可以称为士了。朋友间相互切磋劝勉，兄弟间友爱和顺。"

子曰："善人教民七年，亦可以即戎矣[1]。"（13.29）

注释

[1]即戎：从军作战。即，往。戎，兵戎。

译文

孔子说：“善人教化民众七年，也就可以派他们从军作战了。”

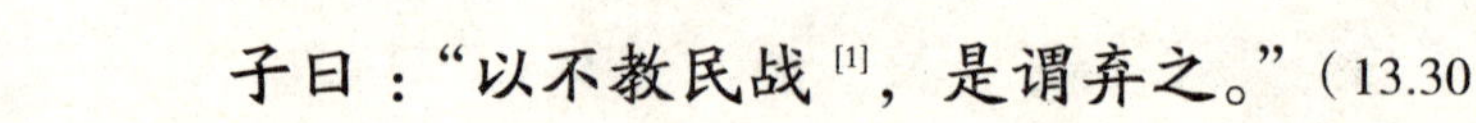

子曰：“以不教民战[1]，是谓弃之。”（13.30）

注释

[1] 不教民：没有经过教化、训练的民众。

译文

孔子说:“用未曾受过训练的百姓去作战,这无异于抛弃他们。”

文史链接

子　路

仲由,字子路,或称季路,鲁国人,孔门十哲之一,以政事见称。小孔子九岁，是孔门中较年长的弟子。

子路像

《史记·仲尼弟子列传》说他初见孔子时戴着象征勇力的雄鸡冠似的帽子，准备羞辱孔子一番。孔子对他进行礼义启蒙，子路心悦诚服，拜入门下。

子路生性耿直，孔武有力，经常跟随孔子之后，时时保护孔子。他很敬重孔子，但也喜欢和孔子唱反调，甚至当面和老师发脾气，直言老师迂腐，在众弟子中可以算是最鲁莽也最仗义的一个。孔子欣赏他处理政事的才能，也感叹过

“道不行，乘桴浮于海，从我者其由与”。但他始终不放心这个弟子，怕他会因好勇而闯祸，甚至有“若由也，不得其死然”的担忧。

孔子的忧虑成了真。子路在卫国卿大夫孔悝家出任邑宰，孔悝与卫出公的父亲蒯聩作乱，出公奔鲁。子路在外闻讯后立刻赶回，路上遇到子羔。子羔劝他不要白去送命，他不听，回答道：“食人俸禄，为人臣子，又怎么能在危难关头逃跑？”子路进城后对着高台上的蒯聩大喊：“您怎么能任用孔悝？请让我杀了他。”说罢想要纵火焚台。蒯聩怕了，命人下去对付子路。打斗中子路系冠的缨被割断，子路喝道：“君子死而冠不免。”结缨正冠，从容就义。

这年子路六十三岁，孔子七十二岁。在孔子生命的最后几年里，他心爱的弟子颜回与子路相继而亡，这无疑是对他最沉重的打击。《礼记》说“昔者夫子之丧颜渊，若丧子而无服，丧子路亦然”，孔子的悲痛可想而知。

思考讨论

孔子拒答樊迟学稼，并明确宣称“焉用稼”。有学者以此为据批评孔子轻视农业生产。请谈谈你的看法。

宪问第十四

宪问耻。子曰："邦有道，谷；邦无道，谷，耻也[1]。""克、伐、怨、欲不行焉[2]，可以为仁矣？"子曰："可以为难矣，仁则吾不知也。"（14.1）

注释

[1]"邦有道"五句：有两种解释。一说邦有道时应有所作为，邦无道时应独善其身，不论有道无道都只知追求俸禄是可耻的。谷：俸禄。一说这几句与"邦有道，贫且贱焉，耻也。邦无道，富且贵焉，耻也"（《泰伯第八》8.13）意同，耻是指"邦无道，谷"一句。[2]克：好胜。伐：自夸。不行：遏止，心中克制而不露于外。

译文

原宪向孔子请教什么是可耻。孔子说："国家政治清明时，享受俸禄；国家政治昏暗时，也只知道享受俸禄，这是可耻的。"原宪又请教："好胜、自夸、怨恨和贪欲这四种毛病都没有出现，能称得上仁吗？"孔子说："算是难得，但能否称得上仁，我就不知道了。"

子曰："士而怀居[1]，不足以为士矣。"（14.2）

注释

[1]怀居：思怀安居，这里指贪图安乐。

译文

孔子说："士人要是贪恋安逸，就不配做士人了。"

子曰："邦有道，危言危行[1]。邦无道，危行言孙[2]。"（14.3）

注释

[1]危：正直。　　[2]孙：同"逊"。

译文

孔子说："国家政治清明，言语应当正直，行为也应正直。国家政治昏暗，行为仍应正直，但言辞可以委婉含蓄。"

子曰："有德者必有言，有言者不必有德。仁者必有勇，勇者不必有仁。"（14.4）

译文

孔子说："一个有道德的人必然有善言，但有善言的人未必有道德。仁义的人一定勇敢，但勇敢的人未必都仁义。"

南宫适问于孔子曰："羿善射[1]，奡荡舟[2]，俱

不得其死然。禹、稷躬稼而有天下[3]。”夫子不答[4]。南宫适出，子曰：“君子哉若人！尚德哉若人！”（14.5）

注释

[1]羿：传说中夏代有穷国的君主，灭夏后相而篡位，后来被自己的臣子寒浞（zhuó）所杀。　[2]奡（ào）：寒浞的儿子，被夏后少康所杀。荡舟：旧说奡多力，能在陆地上推舟而行。[3]稷：周朝的始祖后稷，虞舜时任农官，教民耕种。　[4]夫子不答：或说南宫适以羿、奡比当世的有权者，以禹、稷比孔子，孔子不答是自谦。

译文

南宫适问孔子道：“羿善于射箭，奡力能推舟，而他们都不得善终。禹和稷亲自耕种却得到了天下。（这是为什么？）”孔子不作答。南宫适退了出去，孔子说：“这个人有君子之风啊！这个人多么崇尚道德啊！”

子曰：“君子而不仁者有矣夫，未有小人而仁者也。”（14.6）

译文

孔子说：“君子的言行或许偶尔会不合于仁，但绝没有小人的言行能合于仁。”

子曰："爱之，能毋劳乎[1]？忠焉，能毋诲乎？"(14.7)

注释

[1]劳：勤劳。或说慰劳，劝免。

译文

孔子说："因为爱护他，能不让他勤劳么？因为忠于他，能不教诲他吗？"

子曰："为命[1]，裨谌草创之[2]，世叔讨论之[3]，行人子羽修饰之[4]，东里子产润色之[5]。"(14.8)

注释

[1]为命：《左传》襄公三十一年载郑国诸大夫造外交辞令事，与本章大意略同，这里的命可能专指外交辞令。 [2]裨谌（bì chén）：郑国大夫。 [3]世叔：即《左传》中记载的子太叔，名游吉。讨论：研究并评论。 [4]行人：古代外交官。 [5]东里：地名，子产所居之处。

译文

孔子说："郑国制定一段外交辞令，裨谌拟写草稿，世叔研究并评论，外交官子羽斟酌修改，最后由东里的子产润饰文采。"

或问子产，子曰："惠人也[1]。"问子西[2]，曰："彼

哉，彼哉[3]！”问管仲，曰：“人也，夺伯氏骈邑三百[4]，饭疏食，没齿无怨言。”（14.9）

注释

[1]惠人：宽厚慈爱之人。孔子对子产评价很高。《左传》昭公二十年载：“子产卒，仲尼闻之，出涕曰：‘古之遗爱也。’” [2]子西：公孙夏，是子产同宗兄弟。子产继子西主持郑国政事，问子产，则连带问及子西。 [3]彼哉，彼哉：当时的习惯用语，有轻视之意。 [4]伯氏：齐国大夫。骈邑：齐国城邑。

译文

有人向孔子问起子产，孔子说：“他是个宽厚慈爱、施民恩惠的人。”又问起子西，孔子说：“那个人啊！那个人啊！”又问起管仲，孔子说：“这个人啊，他夺走了伯氏骈邑三百户采地，伯氏粗茶淡饭，却终身没有怨言。”

子曰：“贫而无怨难，富而无骄易。”（14.10）

译文

孔子说：“贫穷而无怨言比较困难，富有而不傲慢比较容易。”

子曰：“孟公绰为赵、魏老则优[1]，不可以为滕、薛大夫[2]。”（14.11）

注释

[1]孟公绰：鲁国大夫。孔子认为他是生性淡泊寡欲之人（见下章）。老：古代大夫家臣中的长者称老，也称室老。优：有余。[2]不可以为滕、薛大夫：滕、薛，当时的小国，都在鲁国附近。旧说大家之老地位尊贵而政务较少，小国事多政烦。公绰廉静寡欲，于前者力有余，于后者力不足。或说赵、魏有篡权之心，需有德者为臣来制止其作乱。滕、薛疲弱，需有才者为臣来振兴国家。

译文

孔子说："孟公绰若是担任赵、魏两氏的家臣，能力绰绰有余。但他不适合做滕、薛这些小国的大夫。"

子路问成人[1]，子曰："若臧武仲之知[2]，公绰之不欲[3]，卞庄子之勇[4]，冉求之艺，文之以礼乐[5]，亦可以为成人矣。"曰："今之成人者何必然？见利思义，见危授命[6]，久要不忘平生之言[7]，亦可以为成人矣。"（14.12）

注释

[1]成人：全人，指德才兼备的人。　[2]臧武仲：鲁大夫臧孙纥。　[3]公绰：即上章提及的孟公绰。　[4]卞庄子：鲁国勇士。[5]文：文饰。　[6]授命：将生命交付给别人，敢于舍生取义的意思。[7]要（yāo）：通"约"，穷困。

译文

子路问什么是完人。孔子说："如果有臧武仲的智慧，孟公绰的淡泊寡欲，卞庄子的勇力以及冉求的才艺，再用礼乐加以文饰，就可以称得上是完人。"孔子又说："如今的完人何必如此呢？只要见到私利时能想到大义，遇到危难时能舍生忘死，久处穷困也不忘平日的承诺，这样也可以称得上是一个完人了。"

子问公叔文子于公明贾曰[1]："信乎，夫子不言、不笑、不取乎[2]？"公明贾对曰："以告者过也。夫子时然后言，人不厌其言。乐然后笑，人不厌其笑。义然后取，人不厌其取。"子曰："其然，岂其然乎[3]？"（14.13）

注释

[1] 公叔文子：卫国大夫公孙拔。或作公孙发。文是谥号。[2] 夫子：指公叔文子。 [3]"其然"二句：其然，赞美他能这样做；岂其然，怀疑他是否能完全做到。或说两句都是疑问。

译文

孔子向公明贾询问公叔文子，说："人说公叔文子不言、不笑、不取，是这样吗？"公明贾回答道："告诉你这话的人言过其实了。他只在适当的时候说话，所以别人不讨厌他的话。他只在快乐的时候笑，所以别人不讨厌他的笑。他只取用合乎道义的东西，所以别人不讨厌他求取。"孔子说："是这样啊，难道真的是这样？"

子曰："臧武仲以防求为后于鲁[1]，虽曰不要君[2]，吾不信也[3]。"（14.14）

注释

[1]臧武仲以防求为后于鲁：防，臧武仲的封邑。据《左传》襄公二十三年记载，臧武仲得罪季氏，出奔邾，出奔之前请求立自己的后嗣于防。　[2]要（yāo）：要挟。　[3]吾不信也：据传臧武仲请求立后的言辞十分谦逊，时人对他并无非议。孔子认为占据私邑以求立后，就是"要君"的行为。

译文

孔子说："臧武仲占据自己的采邑防，以求立自己的后嗣为卿大夫，即使别人说他不是要挟国君，我也不信。"

子曰："晋文公谲而不正[1]，齐桓公正而不谲[2]。"（14.15）

注释

[1]晋文公：春秋五霸之一，名重耳。谲（jué）：诡诈，善用权术的意思。　[2]齐桓公：春秋五霸之一，名小白。（事迹见《宪问第十四》14.16、14.17）

译文

孔子说："晋文公擅权诈不守正道，齐桓公守正道不擅权诈。"

子路曰："桓公杀公子纠，召忽死之，管仲不死[1]。"曰："未仁乎？"子曰："桓公九合诸侯[2]，不以兵车[3]，管仲之力也。如其仁[4]，如其仁！"（14.16）

注释

[1]"召忽"二句：公子纠和齐桓公都是齐襄公之弟。襄公无道，鲍叔牙奉公子小白奔莒，管仲、召忽奉公子纠奔鲁。襄公死，小白（即桓公）先入。桓公使鲁人杀公子纠，召忽死之，管仲请囚，后辅佐桓公，出任齐相。事见《左传》庄公八年、九年。

[2]九合诸侯：一说九形容极多。一说确有九会，其详不可考。

[3]兵车：这里代指武力。　[4]如：乃。

译文

子路说："齐桓公杀了公子纠，召忽尽节而死，管仲却没有死。"又说："管仲不算有仁德的人吧？"孔子说："桓公屡次主持会盟诸侯而不凭借武力胁迫，这都是管仲的功劳。这就是仁德啊，这就是仁德啊！"

子贡曰："管仲非仁者与？桓公杀公子纠，不能死，又相之。"子曰："管仲相桓公，霸诸侯，一匡天下，民到于今受其赐。微管仲[1]，吾其被发左衽矣[2]。岂若匹夫匹妇之为谅也[3]，自经于沟渎而莫之知也[4]？"（14.17）

注释

[1]微：没有。　[2]被发左衽(rèn)：中原民族的风俗是束发、衣襟右开。披散头发、衣襟左开是当时夷狄的习俗。被，同“披”。衽，衣襟。　[3]谅：信，这里指小节小信。　[4]自经：自缢。沟渎(dú)：田间水道。

译文

子贡说：“管仲不是仁者吧？齐桓公杀了公子纠，管仲不能守节而死，还去辅佐桓公。”孔子说：“管仲辅佐桓公称霸诸侯，匡正天下，百姓至今还受他的恩惠。如果没有管仲，恐怕我们会沦落到夷狄一样的习俗，披散头发、左开衣襟了。难道要让他像普通百姓一样死守小节小信，在沟渎中默默无闻地自杀吗？”

公叔文子之臣大夫僎与文子同升诸公[1]。子闻之，曰：“可以为‘文’矣[2]。”（14.18）

注释

[1]臣：家臣。大夫僎(zhuàn)：公叔文子的家臣。升诸公：指进于公朝为臣。公，公朝。　[2]文：公叔文子的谥号。据《礼记·檀弓》，公叔文子谥号“贞惠文子”。郑玄注曰：“不言‘贞惠’者，‘文’足以兼之。”

译文

公叔文子的家臣大夫僎，由文子举荐，与文子一同进于公朝，成为国家大臣。孔子听到这件事，说道：“公叔可以谥号称‘文’了。”

子言卫灵公之无道也，康子曰："夫如是，奚而不丧[1]？"孔子曰："仲叔圉治宾客[2]，祝鮀治宗庙[3]，王孙贾治军旅[4]。夫如是，奚其丧？"（14.19）

注释

[1] 丧：指失去君位。 [2] 仲叔圉：卫大夫，即《公冶长第五》5.15 中提到的孔文子。 [3] 祝鮀：见《雍也第六》6.16 注 [1]。 [4] 王孙贾：人名，卫大夫。

译文

孔子谈到卫灵公的昏庸无道，季康子说："既然如此，他为什么没有败亡呢？"孔子说："他任用仲叔圉接待宾客，祝鮀主管祭祀，王孙贾整治军队。能这样用人，怎么会败亡？"

子曰："其言之不怍[1]，则为之也难。"（14.20）

注释

[1] 怍（zuò）：惭愧。

译文

孔子说："一个人大言不惭，实际做起来难上加难。"

陈成子弑简公[1]。孔子沐浴而朝，告于哀公曰："陈恒弑其君，请讨之[2]。"公曰："告夫三子[3]。"

孔子曰[4]："以吾从大夫之后，不敢不告也。君曰'告夫三子'者！"之三子告，不可。孔子曰："以吾从大夫之后，不敢不告也。"（14.21）

注释

[1]陈成子：齐大夫陈恒。简公：齐简公，名壬。　[2]请讨之：《左传》哀公十四年："公曰：'鲁为齐弱久矣，子之伐之，将若之何？'对曰：'陈恒弑其君，民之不与者半，以鲁之众加齐之半，可克也。'公曰：'子告季孙。'"　[3]告夫三子：三子，指孟孙氏、叔孙氏、季孙氏三家，因三家出于鲁桓公，亦称三桓。当时政在三家，哀公不得决断朝政，所以让孔子告知三家。　[4]孔子曰："曰"的内容是孔子退朝后说的话。

译文

齐大夫陈恒杀了齐简公。孔子斋戒沐浴后上朝进见，报告鲁哀公："陈恒杀了他的君主，请讨伐他。"鲁哀公说："向那三位大臣报告。"孔子（退出来）说："因为我曾担任过大夫，所以不敢不来报告。国君却说'向那三位大臣报告'！"于是前去向三位大臣报告，他们不同意讨伐。孔子说："因为我曾担任过大夫，所以不敢不来报告。"

子路问事君。子曰："勿欺也，而犯之。"（14.22）

译文

子路请教如何侍奉君主。孔子说："不要欺瞒他，但可以据理犯颜直谏。"

子曰："君子上达，小人下达[1]。"（14.23）

注释

[1]上达、下达：主要有两种解释。一、何晏《论语集解》："本为上，末为下。"皇侃《论语义疏》："上达者达于仁义也，下达谓达于财利。"《礼记·大学》有"德者，本也；财者，末也"之说，则两说可相通，与"君子喻于义，小人喻于利"（《里仁》4.16）意同。二、朱熹《论语集注》以为君子"日进乎高明"，小人"日究乎汙下"，上达意为日求上进，下达意为日趋下流。

译文

孔子说："君子日求上进，小人日趋下流。"

子曰："古之学者为己，今之学者为人。"（14.24）

译文

孔子说："古时候的人求学是为了完善自己，现在的人求学是为了向别人表现自己。"

蘧伯玉使人于孔子[1]。孔子与之坐而问焉，曰："夫子何为？"对曰："夫子欲寡其过而未能也。"使者出。子曰："使乎！使乎！"（14.25）

注释

[1]蘧（qú）伯玉：卫国大夫，名瑗。《庄子·则阳篇》："蘧伯玉行年六十而六十化，未尝不始于是之而卒诎之以非也，未知今之所谓是之非五十九非也。"

译文

蘧伯玉派使者拜访孔子。孔子与他一同坐下，问候说："他老人家近来做了些什么？"使者回答说："他老人家想减少自己的过失，但还没能做到。"使者退了出来。孔子说："好一位使者啊！好一位使者啊！"

子曰："不在其位，不谋其政[1]。"曾子曰："君子思不出其位。"（14.26）

注释

[1]"不在"二句：见《泰伯第八》8.14。

译文

孔子说："不在那个职位上，便不考虑那个职位上的政务。"曾子说："君子所思所虑不越过自己的职位范围。"

子曰："君子耻其言而过其行[1]。"（14.27）

注释

[1]而：之。

译文

孔子说："君子以言行不一、言过其实为耻。"

子曰："君子道者三[1]，我无能焉：仁者不忧，知者不惑，勇者不惧。"子贡曰："夫子自道也。"（14.28）

注释

[1]道：行，指君子平日所行的三项准则。

译文

孔子说："君子遵行的三项准则，我都没能做到：仁者不会忧虑，智者不会迷惑，勇者不会畏惧。"子贡说："这正是夫子的自述啊。"

子贡方人[1]。子曰："赐也贤乎哉？夫我则不暇。"（14.29）

注释

[1]方：陆德明《经典释文》："郑玄本作谤，谓言人之过也。"或说比方，比较，方人即比方人物，较其长短优劣。

译文

子贡讥评别人的优劣长短。孔子说："赐啊，你就算是有贤德的人了吗？我是没有这份闲心去评论别人的。"

子曰："不患人之不己知，患其不能也。"（14.30）

译文

孔子说："不担心别人不知道我的才能，只担心自己没有能力。"

子曰："不逆诈[1]，不亿不信[2]，抑亦先觉者[3]，是贤乎！"（14.31）

注释

[1] 逆：预料。 [2] 亿：猜测，臆度。 [3] 抑亦先觉者：《朱子语类》："人有诈不信，吾之明足以知之，是之谓先觉。彼未必诈而逆以诈待之，彼未必不信而先亿度其不信，此则不可。"

译文

孔子说："不预先怀疑别人欺诈我，也不无端臆测别人对我不诚实，却能及早地觉察实情，能这样做的就是一位贤人吧！"

微生亩谓孔子曰[1]："丘何为是栖栖者与[2]？无乃为佞乎？"孔子曰："非敢为佞也，疾固也[3]。"（14.32）

注释

[1] 微生亩：姓微生，名亩。 [2] 栖栖：遑遑无定的样子。[3] 疾：厌恶。

译文

微生亩对孔子说："你为什么四处奔波，忙忙碌碌？难道是要逞露你的口才吗？"孔子说："我不敢逞自己的口才，而是厌恶固执不改。"

子曰："骥不称其力[1]，称其德也[2]。"（14.33）

注释

[1] 骥（jì）：千里马。　　[2] 德：何晏《论语集解》引郑玄注："德者，调良之谓。"

译文

孔子说："千里马为人称道的不是气力，而是它的品德。"

或曰："以德报怨，何如？"子曰："何以报德？以直报怨，以德报德。"（14.34）

译文

有人说："用恩德回报仇怨，怎么样？"孔子说："那么用什么来回报别人的恩德呢？不如顺应情感回报仇怨，用恩德来回报恩德。"

子曰："莫我知也夫！"子贡曰："何为其莫知子也？"子曰："不怨天，不尤人[1]，下学而上达[2]。

知我者其天乎！”（14.35）

注释

[1] 尤：责怪。　　[2] 下学而上达：下学于人事，上达于天命。通人事，故不尤人。知天命，故不怨天。

译文

孔子说：“没有人了解我啊！”子贡说：“为什么没有人了解您？”孔子说：“我不埋怨天，不责怪人，从浅近处学习人事，进而通达于天命。了解我的，恐怕只有上天了吧！”

公伯寮愬子路于季孙[1]。子服景伯以告[2]，曰：“夫子固有惑志[3]，于公伯寮[4]，吾力犹能肆诸市朝[5]。”子曰：“道之将行也与，命也。道之将废也与，命也。公伯寮其如命何！”（14.36）

注释

[1] 公伯寮（liáo）：鲁人，姓公伯，名寮，与子路同时任季氏的家臣。愬：同“诉”，诽谤。　　[2] 子服景伯：鲁国大夫，名何。　　[3] 夫子：指季孙氏。　　[4] 于公伯寮：这里有两种断句方法。一说连上句，意为季孙已被公伯寮所惑。一说连下句，意为对于公伯寮，子服景伯自认为有能力应付。　　[5] 肆：诛杀犯人之后陈列尸体。市朝：这里指集市。

译文

公伯寮向季孙毁谤子路。子服景伯把这件事告诉孔子，说："季孙已经被公伯寮的谗言迷惑了，而我的力量现在还能使公伯寮陈尸街头。"孔子说："我的主张若能实现，那是天命。我的主张若不能实现，那也是天命。公伯寮能把天命怎么样呢！"

子曰："贤者辟世[1]，其次辟地[2]，其次辟色，其次辟言。"子曰："作者七人矣。"（14.37）

注释

[1] 辟世：指脱离世俗。辟，同"避"。 [2] 其次：这里是就所避的范围广狭而言。地：指混乱的国家。

译文

孔子说："有些贤人选择躲开俗世而隐居，其次选择躲开混乱的国家，再其次选择躲开不友善的容色，再其次选择躲开不诚恳的言语。"孔子又说："能这样做的贤人有七位。"

子路宿于石门[1]。晨门曰[2]："奚自？"子路曰："自孔氏。"曰："是知其不可而为之者与？"（14.38）

注释

[1] 石门：鲁城的外门。 [2] 晨门：掌管早晚开闭城门的人。

译文

子路在石门外住了一晚。负责开城门的人问他："你从哪里来？"子路说："我从孔氏那里来。"那人说："就是那个明知做不成还非要去做的人吗？"

子击磬于卫[1]，有荷蒉而过孔氏之门者[2]，曰："有心哉，击磬乎！"既而曰："鄙哉，硁硁乎[3]！莫己知也，斯己而已矣[4]。深则厉，浅则揭[5]。"子曰："果哉！末之难矣[6]。"（14.39）

击磬图

注释

[1] 磬（qìng）：用玉或石制成的打击乐器。 [2] 荷（hè）：背负。蒉（kuì）：草编的盛土的筐。 [3] 硁（kēng）硁：击磬声，形容声音坚实，这里借以讽喻孔子不知随世情变通。 [4] 斯已而已矣：皇侃《论语义疏》："言孔子硁硁不肯随世变，唯自信己而已矣。"朱熹《论语集注》认为，"己"字读"已"，作停止解，荷蒉者"讥孔子人不知已而不止，不能适浅深之宜"。 [5] 深则厉，浅则揭：出自《诗经·邶风·匏有苦叶》。以衣涉水曰厉，摄衣涉水曰揭。这里借以讽喻孔子行事不顾深浅，不懂变通。 [6] 难（nàn）：责难，辩驳。

译文

孔子在卫国敲击磬时，有个背着草筐的人路过门口，说："这击磬的声音，是有深意的啊！"一会儿又说："真是鄙陋啊，这样硁硁然固执的击磬声！没有人了解自己，只有自己坚信罢了。水深时索性不顾及衣裳，就这样走过去；水浅时便提起衣裳走过去。"孔子说："真果决啊！也没有什么可以争辩了。"

子张曰："《书》云：'高宗谅阴，三年不言[1]。'何谓也？"子曰："何必高宗，古之人皆然。君薨[2]，百官总己以听于冢宰三年[3]。"（14.40）

注释

[1]"高宗"二句：出自《尚书·无逸》。高宗，殷高宗武丁。谅阴，即凶庐，天子、诸侯居丧时的住所。古代居丧期限为三年，

实为二十五个月，或说二十七个月。 [2] 薨（hōng）：古时天子死称崩，诸侯死称薨。这里泛指天子、诸侯过世。 [3] 百官总己：指百官总摄自己职责内的事务。冢宰：又称太宰，天子、诸侯的上卿。相当于后世的宰相。

译文

子张说："《尚书》中说：'殷高宗居丧住在凶庐中，三年都不说话。'这是什么意思？"孔子说："不仅高宗，古时候的人都是如此。君主过世，百官各自负责分内之事，三年都听命于太宰。"

子曰："上好礼，则民易使也。"（14.41）

译文

孔子说："在上位的人若能遵行礼仪，自然容易役使百姓。"

子路问君子。子曰："修己以敬。"曰："如斯而已乎？"曰："修己以安人[1]。"曰："如斯而已乎？"曰："修己以安百姓。修己以安百姓，尧舜其犹病诸[2]？"（14.42）

注释

[1] 修己以安人：与后面的有"修己以安百姓"对应，这里的"人"范围应较"百姓"窄。何晏《论语集解》引孔安国注："人，谓朋友九族。"即与自己关系密切的人。 [2] 病：指难以做到。

译文

子路请教怎样才能称为君子。孔子说："修养己身，做到以严肃慎重的态度行事。"子路说："这样就可以了吗？"孔子说："修养己身，进而能安定自己身边的人。"子路说："这样就可以了吗？"孔子说："修养己身，进而能安定天下的百姓。修养己身，进而能安定天下的百姓，尧舜大概还担心不能完全做到吧？"

原壤夷俟[1]。子曰："幼而不孙弟[2]，长而无述焉，老而不死，是为贼[3]。"以杖叩其胫[4]。（14.43）

注释

[1]原壤：鲁人，孔子的故友。《礼记·檀弓篇》载原壤丧母，孔子帮他治丧，他却登上棺木唱歌。孔子不能劝阻他，只得装作没听见走开了。夷：箕踞。古人坐姿类似于跪，两膝着席，坐于足上。伸开两腿而坐，形似簸箕，称箕踞，是一种无礼的行为。俟：等待。　[2]孙：同"逊"。弟：同"悌"。　[3]贼：指害人之人。　[4]胫（jìng）：小腿。

译文

原壤叉开双腿坐在地上等孔子前来。孔子说："年幼不谦逊顺从，成年乏善可陈，到了老年还是白活不死，真是祸害！"说着，拿起拐杖敲他的小腿。

阙党童子将命[1]。或问之曰："益者与？"子曰："吾见其居于位也[2]，见其与先生并行也[3]。非求益

者也，欲速成者也。”（14.44）

注释

[1] 阙党：地名。或说是孔子所居之处。将命：奉命传达辞命。一说向孔子传达辞命，一说为孔子传达辞命。 [2] 居于位：指坐在成人的席位上。依礼童子只能在坐席一角独坐，无席位；或站在一旁。 [3] 与先生并行：先生，指成年人。并行，并排而行。依礼童子只能随行于长者。

译文

阙党的一个童子奉命传达辞命。有人问孔子：“他是个自求上进的孩子吗？”孔子说：“我看他坐在成人的座位上，又看他和长辈并肩而行。他不是求上进的人，只是急于求成的人。”

文史链接

春秋五霸

约在公元前 11 世纪，武王灭商建立周朝，定都镐京（今陕西西安）。公元前 771 年，西北地区一个叫做犬戎的民族攻破镐京，占领渭水流域，杀了周幽王。次年，幽王的儿子平王把都城迁到了东边的洛邑（今河南洛阳），历史上称东迁以前为西周，以后为东周。东周又分为两个时期。当时鲁国有一部名为《春秋》的编年史，记载了从公元前 8 世纪至 5 世纪的史事，于是后人把这段时期称作“春秋”，把之后直到秦始皇建立了秦朝前的时期称作“战国”。

西周时王室控制着大量的土地和人民，比起诸侯国有很大权威。东迁以后，形势发生转变。诸侯国兼并扩张，王室失地失民，

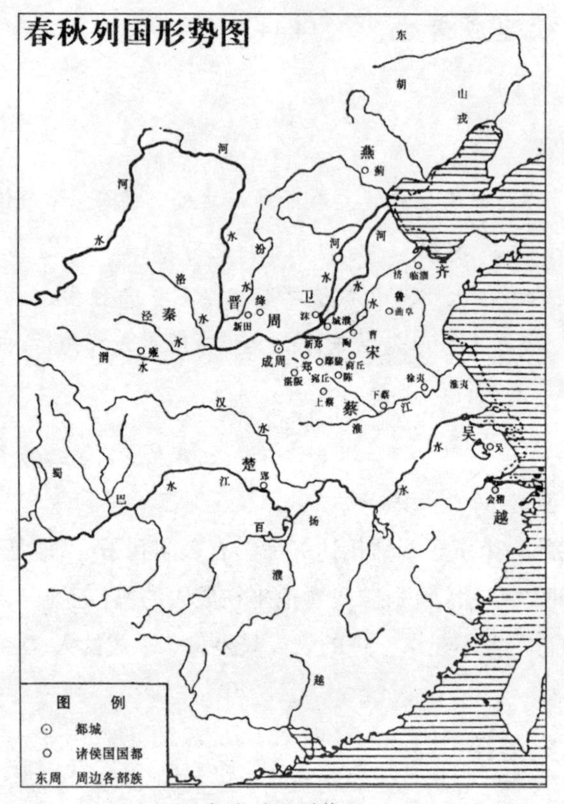

春秋列国形势图

周王甚至要依附大国才能安稳度日。那些在纠纷和战乱中崛起的公侯取代了昔日的王室，号令天下，统领诸国。他们是春秋时期真正的共主，周天子则名存实亡。

春秋时期这样的诸侯先后有五位，他们并称为“春秋五霸”。这“五霸”指的是谁呢？文献中的记载不尽相同，颇有争议。秦穆公、楚庄王、宋襄公、吴王阖闾、越王夫差间或出现在不同的典籍上，莫衷一是。但齐桓公和晋文公则被众口一词地列为五霸中的前两位，不可动摇。

齐桓公是第一位建立霸业的诸侯。他在位的四十余年间，齐国打败了侵燕的北戎；挽救了危亡中的邢国与卫国；屡次会盟诸侯，团结华夏。之后称霸的是晋文公。他年轻时流亡国外，花甲之年才回到晋国，在位仅九年。就在这短短的九年间，晋文公改革了兵制，数次击退当时被视为蛮夷的楚国，抑制了楚国势力对中原的渗透，周王因此策命他为诸侯之长。

这两位霸主尊王攘夷，一匡天下，维护着东周天下的秩序，为华夏诸国做出了重要的贡献。

齐桓公与管仲

齐桓公名小白，是齐襄公的弟弟。他还有一个哥哥，叫公子纠。小白由鲍叔牙辅佐着，纠则由管仲和召忽辅佐。当时齐国公室很不太平，鲍叔牙预感要出乱子，便和小白投奔莒国。乱起，管仲和公子纠逃去了鲁国，那是他母亲的祖国。

襄公在动乱中被弑，弑君的公子无知不久也被杀。鲁人于是派兵护送公子纠回国，想扶他继位。由于齐鲁素来不和，齐人出于对鲁君的怀疑，派兵阻挡。同时齐国的两个大臣暗中派人迎接小白。鲁君也担心小白抢先一步，于是命管仲带兵截在莒、齐的道路上。小白到后，管仲瞄准他的心口一箭射去，见他应弦扑倒，便以为他死了。消息传回鲁国，护送公子纠的队伍在欢庆中放慢了脚步。等他们入了齐，齐国已有了新的君主——正是小白。原来管仲射中的仅是他的带钩，小白顺势装死，安然归国。

小白继位后，立刻要求鲁人杀了公子纠。召忽听闻消息，以身殉主。管仲却经由他朋友鲍叔的推荐，回到齐国辅佐桓公。此后桓公的事业全出自管仲的谋划——灭谭、灭遂、灭项，号召诸侯举行九次盛大的盟会，救邢、救卫，阻挡外族南侵……为中原华夏立下诸多功绩。可以说没有管仲就没有桓公的成就，管仲若死了，不仅是齐国的损失，也是中原诸侯国共同的损失。正如孔子所言，这样的经世之才，又怎能用小节小信来束缚他的大才华、大作为？

思考讨论

你是怎样理解“古之学者为己，今之学者为人”的？

卫灵公第十五

卫灵公问陈于孔子[1]。孔子对曰："俎豆之事[2]，则尝闻之矣；军旅之事[3]，未之学也。"明日遂行。

（15.1）

灵公问陈图

注释

[1] 陈：同“阵”，指军队的阵列之法。 [2] 俎（zǔ）豆之事：泛指礼仪之事。俎、豆都是祭祀用的礼器。俎是木制放献祭牲口的架子，豆是木制盛流质食物的器皿。 [3] 军旅之事：泛指军队作战之事。军、旅都是古代军队的编制，一万二千五百人为军，五百人为旅。

译文

卫灵公向孔子询问军队阵列之法。孔子回答说：“礼仪方面的事，我曾听说过；军队方面的事，我从未学过。”第二天便离开了卫国。

在陈绝粮，从者病[1]，莫能兴。子路愠见曰：“君子亦有穷乎？”子曰：“君子固穷[2]，小人穷斯滥矣[3]。”（15.2）

注释

[1] 从者：指随行的弟子。 [2] 君子固穷：君子固然有穷困之时。固，固然。或说君子坚守穷困。固，坚固。 [3] 滥：放荡。

译文

孔子在陈国断绝了粮食，跟随他的弟子都病了，饿得起不了身。子路神色怨愤地来见孔子，说：“君子也会有这样穷困的时候吗？”孔子说：“君子固然有穷困的时候，但小人穷困才会胡作非为。”

子曰：“赐也，女以予为多学而识之者与[1]？”对曰：“然，非与？”曰：“非也，予一以贯之[2]。”（15.3）

注释

[1]识（zhì）：记。　[2]一以贯之：这是孔子教诲子贡多学的方法。孔广森《经学卮言》：“予一以贯之，言予之多学，乃执一理以贯通所闻，推此而求彼，得新而证故，必如是然后学可多也。若一一识之，则其识既难，其忘亦易，非所以为多学之道矣。”贯，贯穿、贯通。

译文

孔子说：“赐啊，你以为我是博学而后一一记在心里的人吗？”子贡说：“是的，难道不是这样吗？”孔子说：“不是的，我用一个理念贯通它们。”

子曰：“由，知德者鲜矣。”（15.4）

译文

孔子说：“仲由啊，了解德行的人很少啊。”

子曰：“无为而治者其舜也与？夫何为哉？恭己正南面而已矣[1]。”（15.5）

注释

[1] 南面：面南而坐，即居于君位。

译文

孔子说：“不做什么而能使天下大治的，恐怕只有舜吧。他做了什么呢？只是怀着恭敬之心端坐在朝南的君位上罢了。”

子张问行。子曰：“言忠信，行笃敬[1]，虽蛮貊之邦[2]，行矣。言不忠信，行不笃敬，虽州里[3]，行乎哉？立则见其参于前也[4]，在舆则见其倚于衡也[5]，夫然后行。”子张书诸绅[6]。（15.6）

注释

[1] 笃：笃厚，忠厚。　[2] 蛮貊（mò）之邦：指文明程度较低的部族。蛮，南蛮。貊，北狄。　[3] 州里：古代二千五百家为一州，二十五家为一里。这里指本乡本土。　[4] 参：直。　[5] 衡：车前的横木。　[6] 绅：束在腰间的大带。

译文

子张请教怎样才能在外行得通。孔子说：“言语要忠诚信实，行为要笃厚恭敬，即使到了偏远的部族，这样做也能行得通。言语做不到忠诚信实，行为做不到笃厚恭敬，哪怕是在自己家乡，能行得通吗？站立时‘忠信笃敬’这几个字好像直现在眼前，坐在车中‘忠信笃敬’这几个字好像刻在车前的横木上，时刻牢记这几个字，才能在四处行得通。”子张把这些话写在衣带上。

子曰："直哉史鱼[1]！邦有道，如矢；邦无道，如矢。君子哉蘧伯玉[2]！邦有道，则仕；邦无道，则可卷而怀之。"（15.7）

注释

[1] 史鱼：卫大夫史鳍（qiū）。他死前遗言不要治丧正堂，以此劝谏卫灵公举用蘧伯玉，罢黜佞臣弥子瑕。《韩诗外传》称其"生以身谏，死以尸谏，可谓直矣"。　[2] 蘧伯玉：见《宪问第十四》14.25 注 [1]。

译文

孔子说："史鱼真是个正直的人啊！政治清明时他像箭一样耿直，政治昏暗时他仍像箭一样耿直。蘧伯玉真是位君子啊！政治清明时他便出仕做官，政治昏暗时他便收敛起自己的才能。"

子曰："可与言而不与之言，失人。不可与言而与之言，失言。知者不失人，亦不失言。"（15.8）

译文

孔子说："可以交谈的人却没有同他说话，是错过了可谈之人。不可交谈的人还要同他说话，这等于说错话。明智的人既不会错过可谈之人，也不会说不该说的话。"

子曰："志士仁人，无求生以害仁，有杀身以成仁。"（15.9）

译文

孔子说："志士仁人，没有为了求生而损害仁道的，只有舍身以成全仁道的。"

子贡问为仁。子曰："工欲善其事，必先利其器。居是邦也，事其大夫之贤者，友其士之仁者[1]。"（15.10）

注释

[1]"工欲"五句：何晏《论语集解》引孔安国注："言工以利器为用，人以贤友为助。"

译文

子贡请教怎样培养仁德。孔子说："工匠如果想做好自己的工作，必定先磨锐自己的工具。居住在一个国家，要投身卿大夫中的贤者，要结交士人中的仁者。"

颜渊问为邦。子曰："行夏之时[1]，乘殷之辂[2]，服周之冕[3]，乐则《韶》舞[4]。放郑声[5]，远佞人。郑声淫[6]，佞人殆。"（15.11）

注释

[1] 行夏之时：夏、商、周三代各有自己的历法。夏历以建寅之月（旧历正月）为每年第一个月，也即今日的阴历。三种历法中以夏历最合农事，所以孔子主张采用夏历。 [2] 乘殷之辂（lù）：辂，天子乘的车。殷用木辂，最为简朴。 [3] 服周之冕：冕，祭服的礼帽。周代的冕较夏、殷华美。 [4] 则：旧注或作连词解；或作动词解，效法、取法。《韶》：舜时的音乐，孔子言其尽善尽美。（见《八佾第三》3.25） [5] 放：放逐，禁绝。郑声：指郑国的音乐。[6] 淫：有失中正。

译文

颜渊向孔子请教怎样治国。孔子说："历法采用夏制，天子乘的车采用殷制，祭祀的礼帽采用周制，乐舞则采用《韶》。禁绝郑国的乐曲，斥退巧言善辩的小人。郑国的音乐放荡而有失中正，巧舌如簧的人会招来危险。"

子曰："人无远虑，必有近忧。"（15.12）

译文

孔子说："一个人不作长远的打算，必定会有眼前的忧患。"

子曰："已矣乎！吾未见好德如好色者也。"（15.13）

译文

孔子说:“完了吧！我从未见过爱好道德能像爱好美色一样的人。”

子曰：“臧文仲其窃位者与[1]！知柳下惠之贤而不与立也[2]。”（15.14）

注释

[1]臧文仲：鲁大夫臧孙辰。窃位：何晏《论语集解》引孔安国注：“知贤而不举，是为窃位。” [2]柳下惠：鲁人，姓展名获，字禽。柳下或是他所居之处的地名。惠是其妻为他取的私谥。不与立：即不与位的意思，不推举柳下惠任官。

译文

孔子说：“臧文仲大概是个窃居高位的人吧！他知道柳下惠有贤才，却不举荐他任官。”

子曰:“躬自厚而薄责于人[1],则远怨矣。”（15.15）

注释

[1]躬自厚:即“躬自厚责”,因下文有“薄责于人”而省略“责”字。躬自，自己、自我。

译文

孔子说：“一个人若能做到重责自己而轻责他人，自然能使怨恨远离自己。”

子曰："不曰'如之何，如之何'者，吾末如之何也已矣。"（15.16）

译文

孔子说："事先不反复考虑，说'怎么办，怎么办'的人，我对他也不知道该怎么办了。"

子曰："群居终日，言不及义，好行小慧，难以哉！"（15.17）

译文

孔子说："一群人整日相处在一起，言谈从不涉道义，只喜欢耍小聪明，这样的人真难教导！"

子曰："君子义以为质[1]，礼以行之，孙以出之[2]，信以成之。君子哉！"（15.18）

注释

[1]义以为质："以义为质"的倒装，以义为本质。朱熹《论语集注》引程子曰："义以为质，如质干然。礼行此，孙出此，信成此。此四句只是一事，以义为本。"即"义以为质"是全章的主干，后文三个"之"字都指"义"。　[2]孙：同"逊"，谦逊和顺。出：指出言。

译文

孔子说："君子的品行以义为根本，因而行事时必定遵循礼节，说话时必定言辞谦逊，完成这些的态度必定真诚信实。真是君子啊！"

子曰："君子病无能焉，不病人之不己知也。"（15.19）

译文

孔子说："君子只担心自己没有能力，不埋怨别人不知道自己。"

子曰："君子疾没世而名不称焉[1]。"（15.20）

注释

[1]没世：没身于世，即死后。称：称述。

译文

孔子说："君子担心终其一生没有名声被后世称述。"

子曰："君子求诸己，小人求诸人[1]。"（15.21）

注释

[1]"君子"二句：君子严于律己，小人推卸责任。求，责求。或说求是有所乞求、欲有所得的意思，君子欲有所得，则求于自己，依靠自己的力量，小人反是。由于上两章都与名声相关，因此也有旧注认为这里的"求"专指求得名声。

译文

孔子说："君子只对自己严格要求，小人只对他人求全责备。"

子曰："君子矜而不争[1]，群而不党[2]。"（15.22）

注释

[1]矜：矜持，自重。　　[2]群：朱熹《论语集注》："和以处众曰群。"党：阿私。

译文

孔子说："君子庄矜自重而不与人争执，同众人和乐相处而不结党营私。"

子曰："君子不以言举人，不以人废言。"（15.23）

译文

孔子说："君子不因为一个人有善言而举用他，也不因为一个人品行不端而排斥他的善言。"

子贡问曰："有一言而可以终身行之者乎[1]？"子曰："其恕乎！己所不欲，勿施于人。"（15.24）

注释

[1]一言：这里指一字，因而下文孔子用一个"恕"字作答。

译文

子贡问："有没有一个字可以终身奉行的？"孔子说："大概是'恕'吧！自己不想要的，就不要施加给别人。"

子曰："吾之于人也，谁毁谁誉[1]？如有所誉者，其有所试矣[2]。斯民也[3]，三代之所以直道而行也。"（15.25）

注释

[1] 谁毁谁誉："毁谁誉谁"的倒装。毁，诋毁。誉，指言过其实的赞誉。 [2] 试：考察。 [3] 斯民也：一说指三代之民。一说指今世之民。或说"斯民也"是叹词，孔子感叹今人不古。

译文

孔子说："我对于他人，诋毁过谁？谬赞过谁？如果我对人有所称赞，必定已考验过他。夏、商、周三代的人都是如此，因而直道才得以在当时推行。"

子曰："吾犹及史之阙文也[1]。有马者借人乘之[2]。今亡矣夫！"（15.26）

注释

[1] 史之阙文：一说史官记事，于事有疑则阙。一说古时字书称史，太史掌正字之职，于字有疑则阙。 [2] 有马者借人乘之：

主要有两种解释。一说“有马借人”与“史之阙文”是并行无关的两件事，“有马者借人乘之”即“车马衣轻裘，与朋友共”（《公冶长第五》5.26）的意思。一说自己有马而没有调教的能力，则借给能驯服之人，以此比喻史官不敢妄补，以待知者。

译文

孔子说：“我还能见到史官对存疑处阙而不记。自己有不能驯顺的马则借给别人乘用。现在没有这样的事了吧！”

子曰：“巧言乱德，小不忍则乱大谋。”（15.27）

译文

孔子说：“花言巧语会扰乱德行，小处不能忍耐就会败坏大计。”

子曰：“众恶之，必察焉[1]。众好之，必察焉。”（15.28）

注释

[1]必察焉：何晏《论语集解》引王肃曰：“或众阿党比周，或其人特立不群，故好恶不可不察也。”《子路第十三》言“不如乡人之善者好之，其不善者恶之”（13.24）与此章意相通。

译文

孔子说：“众人都厌恶的人，必须考察。众人都喜欢的人，也必须考察。”

子曰：“人能弘道，非道弘人[1]。”（15.29）

注释

[1]“人能”二句：钱穆《论语新解》：“弘，廓大之义。道，指人道。道由人兴，亦由人行。自有人类，始则浑浑噩噩，久而智德日成，文物日备，斯即‘人能弘道’。人由始生，渐至长大，学思益积益进，才大则道随而大，才小则道随而小学所以谋道，而禄在其中……若道能弘人，则人人尽成君子，世世尽是治平，学不必讲，德不必修，坐待道弘矣。”

译文

孔子说：“人可以使道发扬光大，而不能用道来弘扬人。”

子曰：“过而不改，是谓过矣。”（15.30）

译文

孔子说：“犯了错而不改，这才真叫过错。”

子曰：“吾尝终日不食，终夜不寝，以思，无益，不如学也。”（15.31）

译文

孔子说：“我曾整天不吃，整夜不睡，只是用来思考，一无所获，还是要去学习。”

子曰："君子谋道不谋食。耕也，馁在其中矣[1]；学也，禄在其中矣。君子忧道不忧贫[2]。"（15.32）

注释

[1] 馁：饥饿。　　[2] 君子忧道不忧贫：朱熹《论语集注》："学所以谋道，而禄在其中。然其学也，忧不得乎道而已，非为忧贫之故，而欲为是以得禄也。"

译文

孔子说："君子志在谋求道义，而不是谋求衣食。耕种，也许还会挨饿；学习，常能得到俸禄。君子心忧道义，而不担忧贫困。"

子曰："知及之，仁不能守之，虽得之，必失之。知及之，仁能守之，不庄以莅之[1]，则民不敬。知及之，仁能守之，庄以莅之，动之不以礼，未善也。"（15.33）

注释

[1] 莅（lì）：临，到。

译文

孔子说："一个人的才智足以懂得治民之道，但不能以仁心坚守此道，即使懂得，也必然会失去。才智足以懂得治民之道，也能以仁心坚守此道，但不能以庄严的态度领导人民，那么人民也

不会敬重他。才智足以懂得治民之道，能以仁心坚守此道，能以庄严的态度领导人民，但动员人民不合于礼，仍不完善。”

子曰："君子不可小知[1]，而可大受也。小人不可大受，而可小知也。" (15.34)

注释

[1] 君子不可小知：君子不以小事为人所知。即朱熹《论语集注》所言“君子于细事未必可观”。而小人在平常事物上或有所长。知，指为人所知。

译文

孔子说：“君子不可以寻常小事考量，但能够担当重任。小人不能担当重任，但可以在小事上被赏识。”

子曰："民之于仁也，甚于水火[1]。水火，吾见蹈而死者矣，未见蹈仁而死者也[2]。"（15.35）

注释

[1]“民之于仁”二句：百姓对于仁德的需要，比对于水火的需要更迫切。这是说仁德对人的重要性。甚，厉害、严重。

[2] 未见蹈仁而死者也：水火有时杀人，行仁道则有利而无害。

译文

孔子说："人对仁德的需要，更甚于水火。我见过因为困于水火而死的，却从未见过因践行仁道而死的。"

子曰："当仁[1]，不让于师[2]。"（15.36）

注释

[1]当仁：当行仁德之时。或说担当仁德，即"仁以为己任"的意思。当，担当。　[2]不让于师：刘宝楠《论语正义》以为这章是夫子示门人语，"盖事师之礼，必请命而后行，独当仁则宜急行，故告以不让于师之道"。

译文

孔子说："行仁德的时候，即便面对师长，也不需要谦让。"

子曰："君子贞而不谅[1]。"（15.37）

注释

[1]贞：正。谅：信，这里指固执小信。

译文

孔子说："君子行事坚守正道，而不必拘泥于小节小信。"

子曰："事君，敬其事而后其食。"（15.38）

译文

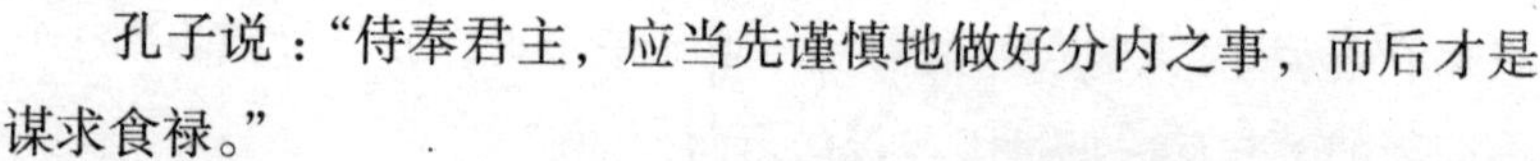

孔子说："侍奉君主，应当先谨慎地做好分内之事，而后才是谋求食禄。"

子曰："有教无类[1]。"（15.39）

注释

[1]有教无类：钱穆《论语新解》："人有差别，如贵贱、贫富、智愚、善恶之类。惟就教育言，则当因地因才，掖而尽之，感而化之，作而成之，不复有类。"类，类别。

译文

孔子说："教育人，不论类别。"

子曰："道不同，不相为谋。"（15.40）

译文

孔子说："根本的主张不同，就不能一起谋事。"

子曰："辞达而已矣[1]。"（15.41）

注释

[1]辞：一般解作言辞、文辞。也有旧注说这里专指外交时的专对之辞。《仪礼·聘礼记》有"辞无常，孙而说。辞多则史，少则不达。辞苟足以达，义之至也"，是专为邦交之辞而发。

译文

子曰："文辞能表达意思就够了。"

师冕见[1]，及阶，子曰："阶也。"及席，子曰："席也。"皆坐，子告之曰："某在斯[2]，某在斯。"师冕出。子张问曰："与师言之道与？"子曰："然，固相师之道也[3]。"（15.42）

注释

[1] 师冕：乐师，名冕。古代乐师多用盲人。 [2] 某在斯：某人在这里的意思。记述者略去姓名，不一一详举，所以用"某"字。[3] 相（xiàng）：帮助，扶助。

译文

乐师冕来见孔子，走到台阶前，孔子说："这里是台阶。"走到坐席前，孔子说："这里是坐席。"众人入座后，孔子告诉他说："某人坐在这里，某人坐在那里。"师冕退了出去。子张问道："这是同盲乐师讲话的方式吗？"孔子说："是的，这当然是扶助盲乐师的方式。"

文史链接

孔子暮年

孔子自卫归鲁约在哀公十一年（前484），那时他六十八岁。孔子的声望与日俱增，有资格过问国政，公卿时常咨访。但

他们仍不肯尽听孔子的建议，鲁国终不是孔子能行道的地方。他对这一切看清了也看淡了，在“莫知我夫”的叹息中放弃了求仕。他的重心转向了教育和文献整理。

孔子讲学，贵在言传身教，不以著述为重。他自称“述而不作”，可见当日并无著作。旧传他曾经赞《易》，修《春秋》，删《诗》、《书》，定《礼》、《乐》，可能有些夸张，但多数学者都认同孔子对远古文献的传述和整理下过一番工夫，并以之作为传授技艺的教本。这些内容本来只有贵族才能修习，孔子首先提倡“有教无类”，无论贫富贵贱，只要带去微薄见面礼，他没有不予以教诲的。

但这样的日子并没有过太久，哀公十六年（前 479）四月，孔子卧病七日而死，享年七十三岁。《礼记》上说孔子在病前的那天早晨扶杖立在门前，意态逍遥，唱道：“泰山快要崩颓，梁柱快要折毁，哲人即将枯萎！”歌毕而入，当户而坐，叹道：“大概我快要死了吧。”

孔子葬在曲阜城北的泗水旁，弟子们为他服丧三年，洒泪而别。有百余户人为了追念孔子，把家搬到墓旁住下，这地方于是被称

作“孔里”。后来孔子的住房和讲堂又被改为“孔庙”，由孔氏后人供奉。

孔门弟子

一般认为，孔子是中国历史上第一位公开讲学的老师。他以“有教无类”的包容心胸广收弟子，在春秋末年培养了一大批有才干的学生。据传他门下有三千弟子，七十二贤人。这种说法虽然夸张，却也充分反映出作为教师的孔子成绩斐然。所谓“七十二贤人”，大概是指曾有七十余位弟子跟从孔子学习过一段时间，而且日后各有所成；“三千弟子”是说当时有许多人受过孔子的言语之教，他们不一定正式拜师，但是或多或少都从与孔子的谈话中得到启发。

西汉时司马迁为孔子的学生写了传记，也就是《史记》中的《仲尼弟子列传》，这是我们了解和研究孔门弟子的重要材料。由于时代相隔久远，到司马迁时，许多弟子的姓氏和事迹已不能尽数得知。《仲尼弟子列传》中举出七十七人，其中四十二人只留下名字，生平已湮没不可考了；其余三十五人都附有或详或略的事迹与言行，其中有不少出自《论语》，还有的则是根据《左传》等典籍中的记载或是民间传说整理加工而成。今天我们仍可以从这些珍贵史料中领略到他们当年的风采。

思考讨论

陶渊明把“君子忧道不忧贫”引到自己的诗中：“先师有遗训，忧道不忧贫。”试另举出古诗中引述《论语》的例子。

季氏第十六

季氏将伐颛臾[1]。冉有、季路见于孔子曰："季氏将有事于颛臾。"

孔子曰："求，无乃尔是过与？夫颛臾，昔者先王以为东蒙主[2]，且在邦域之中矣，是社稷之臣也。何以伐为[3]？"

冉有曰："夫子欲之[4]，吾二臣皆不欲也。"

孔子曰："求，周任有言曰[5]：'陈力就列，不能者止[6]。'危而不持，颠而不扶，则将焉用彼相矣？且尔言过矣，虎兕出于柙[7]，龟玉毁于椟中[8]，是谁之过与[9]？"

冉有曰："今夫颛臾，固而近于费[10]。今不取，后世必为子孙忧。"

孔子曰："求，君子疾夫舍曰欲之而必为之辞。丘也闻有国有家者，不患寡而患不均，不患贫而患不安[11]。盖均无贫，和无寡，安无倾。夫如是，故远人不服，则修文德以来之。既来之，则安之。今

由与求也，相夫子，远人不服而不能来也，邦分崩离析而不能守也，而谋动干戈于邦内。吾恐季孙之忧，不在颛臾，而在萧墙之内也[12]。”（16.1）

注释

[1]季氏：指季康子。颛（zhuān）臾：鲁的附庸国，相传为伏羲后裔。　[2]东蒙主：蒙指蒙山，在鲁国东部，故称东蒙。鲁国使颛臾主祭蒙山。　[3]何以伐为：朱熹《论语集注》：“是时四分鲁国，季氏取其二，孟孙、叔孙各有其一。独附庸之国尚为公臣，季氏又欲取以自益。故孔子言颛臾乃先王封国，则不可伐；在邦域之中，则不必伐；是社稷之臣，则非季氏所当伐也。”　[4]夫子：指季康子。　[5]周任：古代的一位史官。　[6]“陈力”二句：先尽己所能，能胜任才就位；若不能胜任，应该辞去官位。陈，施展、发挥。　[7]兕（sì）：野牛。柙（xiá）：关住猛虎与野牛的栅栏。　[8]龟玉：都是宝物。龟，指神龟。椟（dú）：木匣。　[9]是谁之过：“虎兕出于柙，龟玉毁于椟中”是看管者的失职。孔子借此批评冉求与季路作为家臣，不能谏止季氏的过失，也难辞其咎。　[10]固：指颛臾城郭坚固。　[11]“不患”二句：俞樾《群经平议》以为“寡”与“贫”传写互异，应作“不患贫而患不均，不患寡而患不安”。“贫”与“不均”以财言，与下文“均无贫”对应；“寡”与“不安”以人言，与下文“和无寡，安无倾”对应。董仲舒《春秋繁露》亦引作“不患贫而患不均”。　[12]萧墙之内：暗指鲁君。萧墙，国君所用的屏风。萧墙之内季氏欲伐颛臾，是担心颛臾占据有利地势，帮助鲁君讨伐自己。孔子点明季氏之忧不在颛臾，实在鲁君。

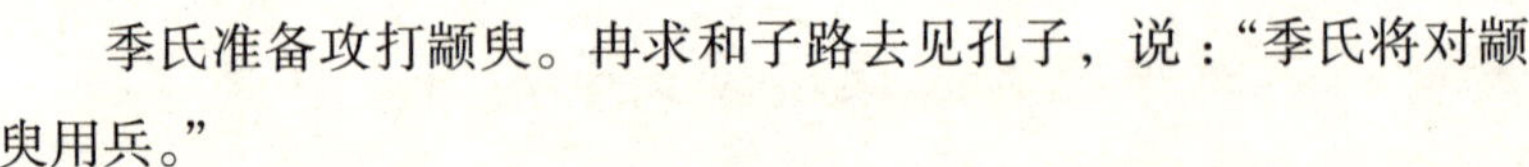

译文

季氏准备攻打颛臾。冉求和子路去见孔子，说：“季氏将对颛臾用兵。”

孔子说：“冉求，这不是你的过失吗？颛臾，以前先王曾命他主持东蒙山的祭祀，而且在鲁国境内，是关系鲁国安危的重臣。怎么能攻打颛臾呢？”

冉有回答道：“季氏想这样做，我们两个家臣本来都不同意。”

孔子说：“冉求，史官周任说过：‘能贡献自己的力量才任职，如果不能胜任就辞官。’如今国家有难而不能挽救，国运将衰而不能扶持，那又何必用辅佐国君的人呢？而且你的话错了，譬如猛虎和野牛从栅栏中逃出来，神龟宝玉在木匣中毁坏了，是谁的失职？”

冉有说：“如今颛臾城郭坚固，而且邻近季氏的采邑费地。现在不攻取，一定给后世子孙留下祸害。”

孔子说：“冉求，君子厌恶隐瞒心中贪欲，还一定要找借口掩饰。我听说，凡是有国的诸侯，或是有家的卿大夫，不担忧财富不足，而担忧分配不当；不担忧百姓少，而担忧他们不能安定。只要财富平均，便没有所谓贫；百姓和睦，便不嫌人口少；百姓安定，国家便无倾覆之忧。做到这样，远方的人如果不能归服，再修习仁义礼乐使他们受感化而来。既然他们来了，就要让他们安定。如今仲由与冉求，你们辅助季氏，远方的人民不归服，不能使他们来归；邦国四分五裂，不能设法保全；还要谋划在国内发动战事。我看季氏的忧虑不在颛臾，而是在鲁君吧。”

孔子曰：“天下有道，则礼乐征伐自天子出；天下无道，则礼乐征伐自诸侯出。自诸侯出，盖十世希不失矣[1]；自大夫出，五世希不失矣；陪臣执国命[2]，三世希不失矣[3]。天下有道，则政不在大夫。天下有道，则庶人不议。”（16.2）

注释

[1] 盖十世希不失矣：意为经历十代，少有不失位丧权的。希，少。 [2] 陪臣：指大夫的家臣。 [3] 十世、五世、三世：古制只有天子可以制礼乐、专征伐，诸侯、卿大夫、陪臣执政都是逆理礼事。有旧注说十世、五世、三世确有所指。诸侯自作礼乐，专行征伐，始于鲁隐公，至鲁昭公伐季孙氏而败，共十世。季友得政，季氏专权，至季桓子为家臣阳虎所囚，共五世。陪臣执政，如季氏家臣阳虎等，当身而败，不及三世。

译文

孔子说：“天下太平，制礼作乐以及出兵征讨都由天子决定；天下混乱，制礼作乐以及出兵征讨则由诸侯决定。制礼作乐及出兵征讨由诸侯决定，大概传位不出十代；由卿大夫决定，大概传位不出五代；若家臣专权，大概传位不出三代。天下太平，权位不会落在卿大夫手中。天下太平，百姓也不会议论政事。”

孔子曰：“禄之去公室五世矣[1]，政逮于大夫四世矣[2]，故夫三桓之子孙微矣[3]。”（16.3）

注释

[1]禄之去公室五世：本章专就鲁国政治而言。禄之去公室，指鲁君大权旁落。公室，指鲁国朝廷。五世，指宣公、成公、襄公、昭公、定公五世。　[2]政逮于大夫：指政权落入大夫之手。逮，及。四世：指季文子、季武子、季平子、季桓子四世。　[3]三桓：指鲁国仲孙、叔孙、季孙三卿，皆出于桓公，所以称三桓。三家至定公时衰。

译文

孔子说："鲁国的政权离开鲁君，经历了五代君主。政权落入卿大夫之手，经历了四代权臣。所以由桓公所出的三家，如今也衰微了。"

孔子曰："益者三友，损者三友。友直，友谅[1]，友多闻，益矣。友便辟[2]，友善柔[3]，友便佞[4]，损矣。"（16.4）

注释

[1]谅：信。　[2]便辟：这里指谄媚阿谀的小人。辟，同"嬖"。[3]善柔：表面装作柔顺的人。　[4]便佞：巧言善辩的人。

译文

孔子说："有益的朋友有三类，有害的朋友也有三类。与正直的人为友，与守信的人为友，与见多识广的人为友，是有益的。与阿谀奉承的人为友，与表面柔顺的人为友，与夸夸其谈的人为友，是有害的。"

孔子曰："益者三乐，损者三乐。乐节礼乐[1]，乐道人之善，乐多贤友，益矣。乐骄乐，乐佚游[2]，乐宴乐，损矣。"（16.5）

注释

[1] 节礼乐：以礼乐为节度，即凡事适度，行事不失于中和的意思。 [2] 佚游：游荡。佚，放纵。

译文

孔子说："有益的快乐有三类，有害的快乐也有三类。爱行事适度，爱称道别人的好处，爱多交贤友，是有益的。爱骄奢，爱闲荡，爱宴饮，是有害的。"

孔子曰："侍于君子有三愆[1]：言未及之而言谓之躁，言及之而不言谓之隐，未见颜色而言谓之瞽[2]。"（16.6）

注释

[1] 愆（qiān）：过失。 [2] 瞽：盲，这里指不能察言观色。

译文

孔子说："陪侍在君子身边与他说话，常犯三种过失：不该说话时抢着说话叫急躁，该说的话不说叫隐瞒，不看人脸色就说话叫盲目。"

孔子曰："君子有三戒：少之时，血气未定，戒之在色；及其壮也，血气方刚，戒之在斗；及其老也，血气既衰，戒之在得。"（16.7）

译文

孔子说："君子有三种情况应当避忌：少年时血气未定，应该避忌女色；壮年时血气方刚，应该避忌争斗；老年时血气衰竭，应该避忌贪得。"

孔子曰："君子有三畏：畏天命[1]，畏大人[2]，畏圣人之言。小人不知天命而不畏也[3]，狎大人[4]，侮圣人之言。"（16.8）

注释

[1] 畏天命：钱穆《论语新解》："天命在人事之外，非人事所能支配，而又不可知，故当心存敬畏。" [2] 大人：一般有两种解释。一指在高位者，一指有德者。下文有"畏圣人之言"，这里若取"有德者"，则前后重复，当解作"在高位者"。 [3] 不知天命：钱穆《论语新解》："天命不可知，而可知其有。小人不知有天命，乃若可惟我所欲矣。" [4] 狎（xiá）：轻慢。

译文

孔子说："君子有三件事当心存敬畏：敬畏天命，敬畏在高位者，敬畏圣人的话。小人不知有天命而无所畏惧，怠慢在高位者，轻侮圣人的话。"

孔子曰："生而知之者，上也。学而知之者，次也。困而学之，又其次也。困而不学，民斯为下矣。"（16.9）

译文

孔子说："生来就知道的，是最上等的；经过学习才知道的，要次一等；遇到困惑才去学习，又要次一等；遇到困惑还不去学习，这是最下等的人。"

孔子曰："君子有九思：视思明，听思聪，色思温，貌思恭，言思忠，事思敬，疑思问，忿思难，见得思义。"（16.10）

译文

孔子说："君子有九件事值得考虑：看，要考虑怎样看得分明；听，要考虑怎样听得清楚；脸上的神色，要考虑是否温和；整体的仪容，要考虑是否恭敬；言语，要考虑是否诚信；行事，要考虑是否谨慎；有疑惑，要考虑怎样询问；想发泄心中的愤恨，要考虑是否有后患；看见可得的好处，要考虑是否合于道义。"

孔子曰："见善如不及，见不善如探汤[1]。吾见其人矣，吾闻其语矣。隐居以求其志，行义以达其道。吾闻其语矣，未见其人也。"（16.11）

注释

[1]如探汤：好像碰到了沸水，要立即躲避。汤，沸水。

译文

孔子说："看见善行便想追赶，好像赶不上一样。看见恶行便想避免，好像把手伸进沸水中一样。我见过这样的人，也听过这样的话。能退居世外以成全他的志向，也能入世行义来达成他的主张。我只听过这样的话，却没见过这样的人。"

齐景公有马千驷[1]，死之日，民无德而称焉。伯夷、叔齐饿于首阳之下[2]，民到于今称之。其斯之谓与[3]？（16.12）

注释

[1]千驷：四匹马为一驷，千驷言其多。　[2]伯夷、叔齐饿于首阳之下：伯夷、叔齐义不食周粟，饿死于首阳山（见《公冶长第五》5.23注[1]）。　[3]其斯之谓与：程颐以为《颜渊第十二》"诚不以富，亦祇以异"（12.10）两句应该在"其斯之谓与"之前，以为人民称赞的，不在于财富，而在于特异的德行。或说此章应与上章合为一章，前章云"未见其人"，这里举伯夷、叔齐是求其人之实。就本章而言，多数注者以为"斯"指德，意为百姓称述的就是这种道德。

译文

齐景公有四千匹马，他死了，百姓都不觉得他有值得称述的德行。伯夷、叔齐饿死在首阳山下，百姓至今还在称赞他们。说的就是这个意思吧。

陈亢问于伯鱼曰[1]:“子亦有异闻乎[2]？”对曰:“未也。尝独立,鲤趋而过庭[3]。曰:‘学《诗》乎？’对曰:‘未也。’‘不学《诗》,无以言。’鲤退而学《诗》。他日，又独立，鲤趋而过庭。曰:‘学礼乎？’对曰:‘未也。’‘不学礼，无以立。’鲤退而学礼。闻斯二者。”陈亢退而喜曰:“问一得三，闻《诗》，闻礼，又闻君子之远其子也[4]。”（16.13）

注释

[1] 陈亢（gāng）：孔子弟子陈子禽。　[2] 异闻：孔鲤是孔子的儿子，陈亢以为孔子或私厚其子，伯鱼所闻有异于诸弟子。[3] 趋：小步快走，以示恭敬。　[4] 远：不私厚，不偏私。

译文

陈亢向伯鱼问道：“您听到过老师特殊的教诲吗？”陈亢回答说:“没有。父亲曾独自站在庭中，我恭敬地快步走过。父亲问我：‘学过《诗》吗？’我回答：‘没有。’父亲说：‘不学《诗》就不懂怎么说话。’于是我退下来便去学《诗》。又一日，父亲独自站在庭中，我恭敬地快步走过。父亲问我：‘学过礼吗？’我回答：‘没有。’父亲说：‘不学礼就无法立足。’于是我退下来便去学礼。

我只听闻过这两件事。”陈亢回去后高兴地说道：“我问一个问题，得知了三件事。听闻了该学《诗》，听闻了该学礼，还听闻了君子不偏向自己的孩子。”

邦君之妻[1]，君称之曰夫人，夫人自称曰小童；邦人称之曰君夫人，称诸异邦曰寡小君；异邦人称之亦曰君夫人。（16.14）

注释

[1]本章没有“子曰”二字。或说是后人见篇末竹简有空白处而任意附记他事。但本章见于《古论》、《鲁论》各古本，且篇末空白处也不足以书写四十多字，故后人窜入说未必可信。或说春秋时称谓混乱，孔子此言是正诸侯嫡妾之名。

译文

国君的妻子，国君称她为夫人，她自称小童；国内人对内称她为君夫人，对国外人称她为寡小君；国外人也称她为君夫人。

文史链接

孔鲤的名与字

孔子的儿子叫孔鲤，字子鱼。他的名与字是怎么来的呢？

鲁昭公九年（前533），孔子娶了一位宋国的女子为妻，一年后生下了一个孩子。年轻时的孔子知礼好学，那时或许已有些名望。鲁昭公特意赐了一条鲤鱼祝贺孔子，于是这个孩子便以“鲤”为名。

除了名,那时的人还有字。现代人“名字”连用,在古代,“名”和“字”各有所指。名是出生时取的。在人际交往中,自己谦称用名。上对下、长对少也是呼名。平辈之间,只有很熟悉的朋友才能称名。而在多数情况下,提到别人的名是一种很不礼貌的行为。下对上、卑对尊写信或呼唤时决不能称名。尤其是君主或自己父母长辈的名,晚辈更是连提都不能提,否则就是大逆不道。

对平辈和长辈有礼貌的称呼,是称他们的“字”。字是后取的,一般男子在二十岁、女子在十五岁时取字。古人取字十分讲究,字和名大多相关。比如孔子的儿子名“鲤”,他的字中就用了“鱼”;“伯”是他的排行,古代老大叫“伯”,之后依次是“仲”、“叔”、“季”。古人常用排行次序来取名或是取字,比如伯夷和叔齐这对兄弟,从他们的名中就可以看出伯夷是长子,叔齐是第三子。

思考讨论

简要谈谈孔子的交友观。

阳货第十七

阳货欲见孔子[1]。孔子不见，归孔子豚[2]。孔子时其亡也[3]，而往拜之，遇诸途。谓孔子曰："来，予与尔言。"曰[4]："怀其宝而迷其邦[5]，可谓仁乎？"曰："不可。好从事而亟失时[6]，可谓知乎？"曰："不可。日月逝矣，岁不我与。"孔子曰："诺，吾将仕矣[7]。"（17.1）

途遇图

注释

[1]阳货:《史记》作阳虎，季氏家臣。鲁国政权在季氏手中，阳虎曾囚禁季桓子，权倾一时，即孔子所谓“陪臣执国命”。他后来企图削弱三桓势力，事败后逃往晋国。　[2]归孔子豚:《孟子·滕文公下》云:“大夫有赐于士，不得受赐于其家，则往拜其门。”孔子不欲见阳货,阳货赠孔子豚,孔子依礼不得不回拜他。归，通“馈”，赠送。豚，蒸熟的小猪。　[3]时:窥伺。　[4]曰:下文至“孔子曰”前的文字,都是阳货一人的自问自答,下文加“曰”字以区别一人的问与答，加“孔子曰”以区别两人间的对话。[5]怀其宝而迷其邦:何晏《论语集解》引马融注:“言孔子不仕，是怀宝也。知国不治而不为政，是迷邦也。”　[6]亟(qì)失时:指数次失去出仕任官的时机。亟，数次。　[7]诺，吾将仕矣:朱熹《论语集注》:“货语言皆讥孔子而讽使速仕，孔子固未尝如此，而亦非不欲仕也，但不仕于货耳。故直据理答之，不复与辩，若不谕其意者。”孔子始终未仕于阳货。

译文

阳货想让孔子来见他。孔子不愿来，他于是送给孔子一只蒸熟的小猪。孔子便趁他不在家时前去拜谢，却在路上碰到了他。阳货对孔子说:“来，我有话对你说。”他接着说道:“隐藏自己的才能，眼看着国家昏乱，可以称作有仁德吗？我说肯定不可以。想从政却屡次放走机会，可以称作明智吗？我说肯定不可以。时光流逝，岁月不等人啊。”孔子说:“好，我将出来做官。”

子曰:“性相近也，习相远也。”(17.2)

译文

孔子说:“人与人的天性生来相近,经过后天习染,而差距渐远。”

子曰[1]:“唯上知与下愚不移。”(17.3)

注释

[1]本章与上章语义相承(何晏《论语集解》两章合为一章,朱熹《论语集注》分为两章)。主要有两种解释。一、上章言人与人的天性相近,因后天环境不同而改变,习善则善,习恶则恶,因此人与人的差距渐远。何晏《论语集解》引孔安国注:“上智不可使为恶,下愚不可使强贤。”则上知指坚守善道不肯为恶的人,下愚则指沉湎恶习不肯向善的人。只有这两种人不因后天的习染而改变,反之,其他人都合于“习相远”。二、孙星衍《问字堂集》:“上知谓生而知之,下愚谓困而不学。”与《季氏第十六》所言“生而知之者,上也”,“困而不学,民斯为下矣”(16.9)相合。上知指天资最高,不用学习也能明辨道理的人。下愚指天资平庸,遇到困惑也不愿思考学习的人。前者不需学习,后者不肯学习,都是不移。前说就人的品性而言,后说就人的才学而言。两说可通。

译文

孔子说:“只有上等的智者与下等的愚人不会改变。”

子之武城[1],闻弦歌之声[2]。夫子莞尔而笑[3],曰:“割鸡焉用牛刀[4]?”子游对曰:“昔者偃也闻诸夫子曰:‘君子学道则爱人,小人学道则易使也。’”

子曰："二三子[5]，偃之言是也，前言戏之耳！"（17.4）

注释

[1] 之：前往。武城：鲁国城邑，时子游为武城邑宰。 [2] 弦歌：弹奏琴瑟，歌咏诗篇。这是子游以礼乐教化百姓的结果。 [3] 莞尔：微笑的样子。 [4] 割鸡焉用牛刀：犹言武城是小邑，何必用礼乐大道。 [5] 二三子：指从行的弟子。

译文

孔子前往武城，听到了奏乐咏诗的声音。孔子微笑着说："杀鸡何必用牛刀呢？"子游回答道："过去我听老师说过：'执政者学习礼乐则会有爱民之心，平民百姓学习礼乐则容易服从使命。'"孔子说："学生们，言偃的话说得对，我之前的话是开玩笑而已！"

公山弗扰以费畔[1]，召，子欲往。子路不说，曰："末之也已[2]，何必公山氏之之也[3]？"子曰："夫召我者，而岂徒哉？如有用我者，吾其为东周乎[4]！"（17.5）

注释

[1] 公山弗扰：多数注者以为即《左传》中的公山不狃，是季氏的家臣，定公八年（前 502）与阳货一同叛季桓子。费：季氏采邑。畔：通"叛"，谋逆叛乱。 [2] 末之也已：意为没有地方去，就该停止了。末，指没有地方。之，前往。也，语气词，表示停顿。已，

停止。　　[3]何必公山氏之之也："何必之公山氏也"的倒装形式。[4]东周：鲁国在周的东面，即兴周道于东的意思。或说指复兴东周。

译文

公山弗扰占据费邑为乱，召见孔子，孔子打算前往。子路不高兴地说："没有地方去就算了，何必去公山弗扰那里？"孔子说："召我去的人，难道没有用意吗？假如有人用我，我要在东方复兴周道！"

子张问仁于孔子。孔子曰："能行五者于天下，为仁矣。""请问之。"曰："恭，宽，信，敏，惠。恭则不侮[1]，宽则得众，信则人任焉，敏则有功，惠则足以使人。"（17.6）

注释

[1]不侮：不被人侮辱。邢昺《论语疏》："言己若恭以接人，人亦恭以待己，故不见侮慢。"

译文

子张向孔子请教什么是仁。孔子说："能在天下推行五种品德，就算是仁了。"子张说："请问是哪五种？"孔子说："恭敬，宽厚，诚信，勤敏，慈惠。待人态度恭敬就不会遭受侮辱，有宽厚容人之心就能得到众人的拥护，忠诚信实就会被任用，做事勤敏就多见成效，对人民施以恩惠就足以役使他们。"

佛肸召[1]，子欲往。子路曰："昔者由也闻诸夫子曰：'亲于其身为不善者，君子不入也。'佛肸以中牟畔[2]，子之往也，如之何？"子曰："然，有是言也。不曰坚乎？磨而不磷[3]。不曰白乎？涅而不缁[4]。吾岂匏瓜也哉[5]？焉能系而不食[6]？"（17.7）

注释

[1]佛肸（xī）：晋大夫赵简子的家臣。或说是晋大夫范氏、中行氏的家臣。　[2]佛肸以中牟畔：赵氏围中牟见《左传》哀公五年。《史记·孔子世家》、《韩诗外传》等亦载此事。中牟，晋国城邑。畔，通"叛"。　[3]磷：薄，磨损。　[4]涅：黑色的染料，这里作动词，染黑。缁（zī）：黑色。　[5]匏（páo）瓜：即葫芦，味苦不能食，比水轻，可以系在腰间用以泅渡。　[6]焉能系而不食：孔子借此表明自己志在用世。刘宝楠《论语正义》："且其时天下失政久矣，诸侯畔天子，大夫畔诸侯，少加长，下凌上，相沿成习，恬不为怪。若必欲弃之而不与易，则滔滔皆是，天下安得复治？故曰'天下有道，丘不与易也'。明以无道之故而始欲仕也。"

译文

佛肸召见孔子，孔子准备前往。子路说："我曾经听老师说过：'亲自作恶的人，君子是不去他那里的。'如今佛肸占据中牟谋乱，您还要去那里，这怎么说？"孔子说："对，我说过这话。但所谓坚固，不就是磨也磨不薄吗？所谓洁白，不就是染也染不黑吗？我难道是匏瓜吗？怎么可以只能挂着不能吃呢？"

子曰："由也！女闻六言六蔽乎[1]？"对曰："未也。""居！吾语女。好仁不好学，其蔽也愚；好知不好学，其蔽也荡[2]；好信不好学，其蔽也贼[3]；好直不好学，其蔽也绞[4]；好勇不好学，其蔽也乱；好刚不好学，其蔽也狂。"（17.8）

注释

[1]蔽：遮蔽，蔽障。 [2]荡：放荡，无所据守。 [3]贼：害。 [4]绞：乖戾，急切。

译文

孔子说："仲由！你听说过六种美德易生六种蔽障吗？"子路回答道："没有。"孔子说："坐下！我告诉你。好行仁德而不好学习，蔽障在于容易受骗，反成愚昧；好卖弄聪明而不好学习，蔽障在于好高骛远，反而失去方向；好守信用而不好学，蔽障在于不顾事理，反而害人害己；好行事直率而不好学，蔽障在于急躁冒进，反成乖戾；好逞勇力而不好学习，蔽障在于不辨是非，反而闯祸；好逞刚强而不好学，蔽障在于刚愎自用，反成狂妄。"

子曰："小子何莫学夫《诗》？《诗》，可以兴[1]，可以观[2]，可以群[3]，可以怨[4]。迩之事父[5]，远之事君。多识于鸟兽草木之名[6]。"（17.9）

注释

[1]兴：何晏《论语集解》引孔安国注："兴，引譬连类。"即由眼前事物而联想到他物，感发志意。 [2]观：指通过诗的感情观察人情风俗。 [3]群：指学诗使人性情温和，乐众合群。 [4]怨：抒发怨情。 [5]迩：近。 [6]识：通"志"，记。或说即识别之识。

译文

孔子说："学生们，你们为什么不学《诗》呢？《诗》，可以感发联想与志气，可以观察人情风俗，可以使人温和合群，可以抒发怨情。往近里说可以懂得如何奉养父母，往远里说可以懂得如何侍奉君主。还可以多多记住鸟兽草木的名字，增长见识。"

子谓伯鱼曰："女为《周南》、《召南》矣乎[1]？人而不为《周南》、《召南》，其犹正墙面而立也与[2]！"（17.10）

注释

[1]为：学习。《周南》、《召南》：见《诗经·国风》。周和召都是地名，在这两地采得的诗歌分别为《周南》、《召南》。《周南》、《召南》或兼指与之相合的乐章。 [2]正墙面而立：《毛诗大序》云："《周南》、《召南》，正道之始，王化之基。"人不学《周南》、《召南》，如同面对着墙站立，一物不可见，一步不可行。

译文

孔子对伯鱼说:“你学过《周南》、《召南》了吗?人若不学《周南》、《召南》,就好像面对着墙站立一样啊!”

子曰:“礼云礼云,玉帛云乎哉?乐云乐云,钟鼓云乎哉[1]?”(17.11)

注释

[1]玉帛、钟鼓:玉帛是行礼时所执的礼器。钟鼓是演奏礼乐时所用的乐器。一说人无敬心,无和气,即使行礼奏乐的器物丰厚完备,也不能称作礼乐。一说用礼乐贵在能治国安民,移风易俗,若非如此,亦不能称作礼乐。

译文

孔子说:“所谓的礼啊,就是玉器丝绸之类的礼器吗?所谓的乐啊,就是钟鼓之类的乐器吗?”

子曰:“色厉而内荏[1],譬诸小人,其犹穿窬之盗也与[2]?”(17.12)

注释

[1]色:容色。荏(rěn):柔弱。　[2]穿窬(yú):指穿墙挖洞。窬,空,或说通“逾”,越过。

译文

孔子说："外表威严而内心怯弱的人，在众多胡作非为的小人中取一个作比，大概就像挖墙钻洞的小偷吧。"

子曰："乡原[1]，德之贼也。"（17.13）

注释

[1]乡原：指一乡人称道的老好人。《孟子·尽心下》："万子曰：'一乡皆称原人焉，无所往而不为原人，孔子以为德之贼，何哉？'曰：'非之无举也，刺之无刺也，同乎流俗，合乎汙世，居之似忠信，行之以廉絜，众皆悦之，自以为是，而不可与入尧舜之道，故曰"德之贼"也。'"

译文

孔子说："博得一乡人称赞的老好人，是败坏道德的贼人。"

子曰："道听而途说，德之弃也。"（17.14）

译文

孔子说："在路上听来的话又照样四处传播，这是不守道德的行为。"

子曰："鄙夫可与事君也与哉？其未得之也，患得之[1]；既得之，患失之。苟患失之，无所不至矣[2]。"（17.15）

注释

[1]患得之：这里是患不能得之的意思。或说古本原有“不”字，后来脱去。或说古人语急而文省，没有“不”字，文义亦通。 [2]无所不至：即不择手段，无所不为的意思。

译文

孔子说：“鄙陋的人可以同他一起侍奉君主吗？他尚未得到职位时，怕得不到；得到了，又怕失去。若是怕失去，他就会无所不为。”

子曰：“古者民有三疾，今也或是之亡也[1]。古之狂也肆，今之狂也荡；古之矜也廉，今之矜也忿戾[2]；古之愚也直，今之愚也诈而已矣。”（17.16）

注释

[1]或是之亡：“或亡是”的倒装。意为或许还没有这三疾。孔子伤民俗所习，今不如古。 [2]廉、忿戾：朱熹《论语集注》：“廉，谓棱角峭厉，忿戾则至于争。”

译文

孔子说：“古时候的人有三种可贵的缺点，现在的人或许没有了吧。古时候的狂者恣肆，现在的狂者放荡；古时候矜持的人方正，现在矜持的人好斗；古时候愚昧的人直率，现在愚昧的人还要使诈。”

子曰：“巧言令色，鲜矣仁。”（17.17）

译文

见《学而第一》1.3。

子曰："紫之夺朱也恶[1]，恶郑声之乱雅乐也[2]，恶利口之覆邦家者。"（17.18）

注释

[1]紫之夺朱：朱，即赤色。古人以青、赤、黄、白、黑为五种正色。紫则是杂色。而时人尚紫，有国君穿紫衣。恶：厌恶。

[2]郑声之乱雅乐：雅乐即正乐。郑声是郑国的音乐，孔子认为"郑声淫"（《卫灵公第十五》15.11）。

译文

孔子说："我厌恶紫色夺去赤色的地位，我厌恶失于中和的郑国音乐扰乱正乐，我厌恶巧言善辩而颠覆国家的人。"

子曰："予欲无言。"子贡曰："子如不言，则小子何述焉？"子曰："天何言哉？四时行焉，百物生焉，天何言哉？"（17.19）

译文

孔子说："我不想再说话了。"子贡说："您如果不说话，弟子们传述什么呢？"孔子说："上天说了什么呢？四季自然交替，百物自然生长，上天又说了什么呢？"

孺悲欲见孔子[1]，孔子辞以疾。将命者出户[2]，取瑟而歌，使之闻之[3]。（17.20）

注释

[1] 孺悲：鲁人。《礼记·杂记》说哀公专门派他来跟孔子学习士丧礼。　[2] 将命：传达辞命。　[3] 使之闻之：使孺悲听到琴瑟歌声，也就是让他知道孔子称疾是托词。有旧注说孺悲没有经人介绍，就贸然来见孔子，孔子责其不明礼，故意不见。即《孟子·告子下》所言"教亦多术矣。予不肖之教诲也者，是亦教诲之而已矣。"

译文

孺悲想拜见孔子，孔子推说病了。传话的人一出门，孔子便取下瑟来边弹边唱，有意让孺悲听见。

宰我问："三年之丧[1]，期已久矣。君子三年不为礼，礼必坏；三年不为乐，乐必崩。旧谷既没，新谷既升[2]，钻燧改火[3]，期可已矣[4]。"

子曰："食夫稻，衣夫锦[5]，于女安乎？"曰："安。""女安，则为之！夫君子之居丧，食旨不甘[6]，闻乐不乐，居处不安[7]，故不为也。今女安，则为之！"

宰我出。子曰："予之不仁也！子生三年，然后免于父母之怀。夫三年之丧，天下之通丧也[8]，予也有三年之爱于其父母乎？"（17.21）

注释

[1]三年之丧:父母死，子女服丧三年。　[2]升:登，登场。　[3]钻燧改火：指钻木取火。一年不同时节钻火所用的木材不同，春取榆、柳，夏取枣、杏，季夏取桑、柘，秋取柞、楢，冬取槐、檀。　[4]期可已矣：期，一年。朱熹《论语集注》:“言期年则天运一周，时物皆变，丧至此可止也。”　[5]“食夫稻”二句：当时北方以稻为谷中最贵者，居丧之人不食稻。锦衣是有纹饰的衣服，居丧之人应穿麻衣。　[6]旨：美味。　[7]居处不安：孝子服丧期间，不能居于常寝。要住在临时搭建的凶庐中，用草编的席子和土块做的枕头。　[8]通丧：指从天子到平民都通行的丧礼。

译文

宰我问：“守丧三年，为期太久。在位者三年不习礼仪，礼制必定败坏；三年不奏乐曲，音乐必定荒废。往年的谷子已经吃完，新的谷子已经丰收，取火的木材也已换过一轮，守丧一年就可以了。”

孔子说：“不满三年丧期，你便吃稻米、穿华服，你觉得心安吗？”宰我回答：“安。”孔子说：“你心安，你就这么做吧！君子守丧期间，即使吃美食也不觉得味美，即使听音乐也不感到快乐，即使安居在家也不觉得舒适，所以他不做这些事。现在你能心安，你就这么做吧！”

宰我退了出来。孔子说：“宰予没有一点仁义之心啊！孩子出生满三岁，然后才能离开父母的怀抱。为父母服丧三年，是自天子到百姓都通行的丧礼，像宰予这样，他会有三年的爱心报答他的父母吗？”

子曰："饱食终日，无所用心，难矣哉！不有博弈者乎[1]？为之，犹贤乎已。"（17.22）

注释

[1]博弈：博，古时消遣的游戏，其详不可考，大抵类似弈。弈，围棋。

译文

孔子说："整天吃饱了饭，却无所事事，这样不行啊！不是有玩博弈的么？消遣也好过游手好闲。"

子路曰："君子尚勇乎？"子曰："君子义以为上，君子有勇而无义为乱，小人有勇而无义为盗。"（17.23）

译文

子路说："君子崇尚勇敢吗？"孔子说："君子以义为最高的准则，居高位者有勇而无义就会作乱，平民百姓有勇而无义就会做贼。"

子贡曰："君子亦有恶乎[1]？"子曰："有恶：恶称人之恶者，恶居下流而讪上者[2]，恶勇而无礼者，恶果敢而窒者[3]。"曰："赐也亦有恶乎？""恶徼以为知者[4]，恶不孙以为勇者，恶讦以为直者[5]。"（17.24）

注释

[1] 恶：厌恶。　[2] 恶居下流：晚唐以前诸本无“流”字。惠栋《九经古义》以为“当因《子张第十九》‘恶居下流’，涉彼而误”。讪(shàn)：毁谤。　[3] 窒：塞，这里指不通事理。　[4] 徼(jiāo)：抄袭。　[5] 讦(jié)：揭发别人的私事和过失。

译文

子贡说：“君子也有厌恶的事吗？”孔子说：“有厌恶的事：厌恶喜欢宣扬别人坏处的人，厌恶身居下位而毁谤上级的人，厌恶鲁莽却不懂礼的人，厌恶行事果敢决断却不通事理的人。”孔子又说：“赐，你也有厌恶的事吗？”子贡说：“厌恶窃取别人成果而当做自己的才智的人，厌恶不知谦逊反而以此为勇敢的人，厌恶揭发别人私事而自以为直率的人。”

子曰：“唯女子与小人为难养也。近之则不孙[1]，远之则怨。”（17.25）

注释

[1] 孙：同“逊”，顺。

译文

孔子说：“只有女子和小人是难相处的。亲近了，他们渐渐怠慢无礼，疏远了，他们又心怀怨恨。”

子曰：“年四十而见恶焉，其终也已[1]。”（17.26）

注释

[1]已：止。

译文

孔子说："到四十岁还被人厌恶，他这一生也就完了。"

文史链接

诗　经

《诗经》是中国最早的诗歌总集，本只称《诗》，儒家列为经典之一，故称《诗经》。其编成于春秋时代，共三百零五篇（另有六篇有目无辞，称作"六笙诗"），因而取其整数又可称作《诗三百》。《诗经》中的诗歌大抵是周初至春秋中叶的作品，原本都是和乐而唱的乐歌，后来古乐失传，仅存辞章。

《诗经》是按"风"、"雅"、"颂"分类编排的。"风"有十五国风，即《周南》、《召南》、《邶风》、《鄘风》、《卫风》、《王风》、《郑风》、《齐风》、《魏风》、《唐风》、《秦风》、《陈风》、《桧风》、《曹风》、《豳风》，共收诗一百六十篇；"雅"有大雅、小雅，共收诗一百零五篇；"颂"有《周颂》、《鲁颂》、《商颂》，共收诗四十篇。关于《诗经》的编排方式以及风、雅、颂的解释，历来歧解纷纭，现在比较一致的看法是：《诗经》都可入乐，风、雅、颂大致按照音乐的特点来划分。"风"是音乐曲调的意思，"国风"指当时诸侯国辖地内的乐曲，犹如今日的地方音乐。"雅"，即是"正"，当时宫廷和贵族所用的乐歌称为正声、正乐。"颂"则是朝廷宗庙之上祭神祭祖所用。古时候《诗经》作为经书之一，与礼教密不可分，因而从政教伦理上解释风、雅、颂的说法颇为流行。《毛诗序》说："风，风也，教也；风以动之，教以化之”，“上以风化下，下以风刺上”；“言天下之事，形四方之风，谓之雅。雅者，正也，言王政之所由废兴也”；“颂者，美盛德之形容，以其成功告于神明者也”。这是这类解释的典型代表。

秦火焚书，《诗经》在其列，幸得儒生口耳相传才能保存。汉初，有三个学派用当时通行的隶书记录并注解《诗经》，分别是齐人辕固生所传的《齐诗》、鲁人申培公所传的《鲁诗》和燕人韩婴所传的《韩诗》，统称“三家诗”。后来又有一个学派用秦以前的古文字来书写，是毛公所传的《毛诗》。三家诗兴盛于汉武帝以后的百余年间，之后《毛诗》渐渐取而代之，魏晋以后三家诗先后失传，从那时起，至今通行的《诗经》便是《毛诗》。

三百篇的作者不一，艺术风格也不尽相同，以《国风》和《小雅》中的诗篇最为动人。这些诗作言语质朴，感情真率，不事雕琢，是自然流出的天籁之声，因而有一种真实而健康的美感。《诗经》在我国的文学史上有极其重要的地位。所谓的“乐而不淫，哀而不伤”、“温柔敦厚”，即是《诗经》的整体风貌，亦是《诗经》为我国古典诗歌奠定下的感情基调与光荣传统。

思考讨论

以《论语》为例证，简析孔子对《诗经》的评价。

微子第十八

微子去之，箕子为之奴，比干谏而死[1]。孔子曰：“殷有三仁焉。”（18.1）

注释

[1]“微子去之”三句：微子，商纣王庶兄。箕子、比干：都是纣王的叔父。纣王无道，三人屡次谏止，纣王怒，曰：“吾闻圣人心有七窍。”剖比干观其心。箕子装疯，降为奴隶。微子则逃离了殷。

译文

微子出走，箕子被囚为奴，比干则因直谏被杀。孔子说：“殷商有三位仁人。”

柳下惠为士师[1]，三黜[2]。人曰：“子未可以去乎？”曰：“直道而事人，焉往而不三黜？枉道而事人，何必去父母之邦？”（18.2）

注释

[1]士师：主管刑狱的官员。　[2]黜（chù）：罢黜，罢免。

译文

柳下惠任士师，多次被罢免。有人对他说："您难道不能离开鲁国吗？"柳下惠说："以正直的品行侍奉他人，到哪里不会被屡次罢免？以不正直的品行迎合他人，又何必离开祖国？"

齐景公待孔子曰[1]："若季氏，则吾不能。以季孟之间待之[2]。"曰："吾老矣！不能用也。"孔子行。（18.3）

注释

[1]待：对待，待遇。　[2]以季孟之间待之：季、孟，指鲁国的季孙氏、孟孙氏。鲁国三卿，以季氏为最贵。以季、孟之间待孔子，是以高规格对待孔子。

译文

齐景公谈及怎样对待孔子："若是像鲁君对待季氏那样对待孔子，那我做不到。就取鲁君对待季孙氏与孟孙氏之间的礼节来对待孔子吧。"又说："我老了！不能重用孔子了。"孔子于是离开了齐国。

齐人归女乐[1]，季桓子受之[2]，三日不朝，孔子行[3]。（18.4）

注释

[1]归：通"馈"，赠送。　[2]季桓子：季孙斯，定公至

哀公初年任执政上卿。　[3]孔子行：据《史记·孔子世家》记载，孔子时任鲁司寇。齐人担忧孔子为政必霸，赠送舞姬以惑乱鲁君。季桓子劝鲁君收留，君臣连日赏玩，怠于政事。之后鲁行郊祭，孔子未得祭肉（依礼郊祭既毕，祭肉应分赐卿大夫）。孔子认为鲁君与季氏荒淫无礼，于是离开鲁国。

译文

齐国人送来能歌善舞的美姬，季桓子接受了，连着三日不问政事，孔子于是离开了鲁国。

楚狂接舆歌而过孔子曰[1]：“凤兮凤兮！何德之衰[2]？往者不可谏，来者犹可追。已而，已而！今之从政者殆而[3]！”孔子下，欲与之言。趋而辟之，不得与之言[4]。（18.5）

注释

[1]楚狂接舆：楚人，佯装狂者以避世。一说姓陆名通，字接舆。一说接孔子之舆，故称接舆。　[2]“凤兮”二句：朱熹《论语集注》：“凤有道则见，无道则隐，接舆以比孔子，而讥其不能隐为德衰也。”　[3]殆：危险。指当今执政者将自取灭亡。　[4]“趋而辟之”二句：接舆或是知孔子与自己志趣不同，故意躲避。汪烜《四书诠义》：“以下数章，皆见圣人之不忍于避世也。接舆诸人高蹈之风致自不可及，其讥孔子处，亦非谓孔子果趋慕荣禄，同于俗情。但世不可为，而劳劳车马，深为孔子惜耳。”

接舆狂歌图

译文

楚国的狂人接舆唱着歌走过孔子的车子，说道："凤凰啊，凤凰啊！为什么德行这样衰微？过去的已无法挽回，未来的还来得及改悔。算了吧，算了吧！现在执政的人难保自身安危！"孔子下车，想同他说话。他却快步避开，孔子没能跟与他交谈。

长沮、桀溺耦而耕[1]，孔子过之，使子路问津焉。

长沮曰："夫执舆者为谁[2]？"子路曰："为孔丘。"曰："是鲁孔丘与？"曰："是也。"曰："是知津矣[3]。"

问于桀溺。桀溺曰："子为谁？"曰："为仲由。"曰："是鲁孔丘之徒与？"对曰："然。"曰："滔滔者天下皆是也[4]，而谁以易之？且而与其从辟人之士也[5]，岂若从辟世之士哉？"耰而不辍[6]。

子路行以告。夫子怃然曰[7]："鸟兽不可与同群[8]，吾非斯人之徒与而谁与？天下有道，丘不与易也。"（18.6）

注释

[1]长沮、桀溺：楚国的两位隐者。耦（ǒu）而耕：耦耕是古代耕田的一种方法。耦，并。 [2]执舆：拉着缰绳驾车。本由子路执缰绳，因下车问津，由孔子代为驾车。 [3]是知津矣：言孔子自应知道津口在何处。暗含讽义。津，渡口。 [4]滔滔：有本作“悠悠”，流水貌。 [5]而：代词，用于第二人称，这里指子路。辟人之士：与人不合而四处奔走的人，这里指孔子。辟，同“避”，避开。下句“辟世之士”即避世隐居之人，这里是桀溺自指。 [6]耰（yōu）：播种之后，再以碎土块覆盖并摩平，使种子深入土中，鸟不能啄食。 [7]怃（wǔ）然：怅然若失的样子。[8]鸟兽不可与同群：“不可与鸟兽同群”的倒装形式。与鸟兽同群，即隐居避世。

译文

长沮、桀溺在一起耕地，孔子路过，让子路去打听渡口在哪里。

长沮问子路：“车上那位拿着缰绳的人是谁？”子路说：“是孔丘。”他又问：“是鲁国的孔丘吗？”子路说：“是的。”他便说：“他自然知道渡口在哪里。”

子路去问桀溺。桀溺说：“你是谁？”子路说：“我是仲由。”桀溺说：“你是鲁国孔丘的弟子？”子路回答：“对。”他便说：“如今世道混乱，就像滔滔洪水一样四处皆然，谁能改变这局面呢？你与其跟从孔丘那样的人，四处避开与自己意见不合的人，哪里比得上跟从我们这些避世隐居的人呢？”说完继续不停地耙地。

子路回来把这些话告诉孔子。孔子怅然若失地说：“我不能同鸟兽共处，如果不与人群相处，我还能同谁相处呢？若是天下太平，我自然不想改变什么。”

子路从而后，遇丈人[1]，以杖荷蓧[2]。

子路问曰："子见夫子乎？"

丈人曰："四体不勤，五谷不分[3]。孰为夫子？"植其杖而芸[4]。

子路拱而立[5]。

止子路宿，杀鸡为黍而食之，见其二子焉。明日，子路行以告。子曰："隐者也。"使子路反见之。至则行矣。

子路曰[6]："不仕无义。长幼之节，不可废也；君臣之义，如之何其废之？欲洁其身，而乱大伦。君子之仕也，行其义也。道之不行，已知之矣[7]。"（18.7）

注释

[1]丈人：长者。 [2]荷（hè）：背负，肩负。蓧（diào）：田间除草的农具。 [3]"四体"二句：不能分辨五谷各自的播种方法，或说不能分辨五种谷物。有注者认为这句话是丈人责子路，或说是丈人责孔子，或说是丈人自谓。五谷，稻、粱、麦、黍、稷。[4]芸：同"耘"，除草。 [5]拱而立：古人拱手而立，以示尊敬。[6]子路曰：后文是子路转述孔子之意。丈人出行，或是与其二子言。[7]"道之不行"二句：钱穆《论语新解》："道之行否属命，人必以行道为己责属义。虽知道不行，仍当出仕，所谓我尽我义。"

译文

子路随孔子出行，落在了后面，遇到一个老人，用拐杖担着除草的农具。

子路问道："您看见过我的老师吗？"

老人说："四肢不勤于劳动，五谷不懂得耕种，谁知道你的老师？"说完便扶着杖在田间除草。

子路在一旁拱着手恭敬地站着。

老人留子路住了一晚，杀鸡做饭给子路吃，还让他的两个儿子出来相见。第二天，子路赶上了孔子，告诉他这些话。孔子说："这人是隐者。"并让子路回去见他。子路到了那里，老人已经外出。

子路便说："不出仕做官，有失君臣之义。长幼间的秩序不能废弃，君臣间的大义又怎能不顾呢？想洁身自好，却坏了君臣间的秩序。君子出仕，是尽自己的义务。至于道不能行，我早就知道了。"

逸民[1]：伯夷、叔齐、虞仲、夷逸、朱张、柳下惠、少连。子曰："不降其志，不辱其身，伯夷、叔齐与！"谓："柳下惠、少连，降志辱身矣，言中伦，行中虑，其斯而已矣。"谓："虞仲，夷逸，隐居放言，身中清，废中权[2]。我则异于是，无可无不可[3]。"（18.8）

注释

[1]逸民：即佚民，遗佚于世，有德而无位之人。　[2]废：

指自废其位，丢弃官职。　[3] 无可无不可：朱熹《论语集注》：“《孟子》曰：‘孔子可以仕则仕，可以止则止，可以久则久，可以速则速。’所谓无可无不可也。”

译文

隐逸的贤人有：伯夷、叔齐、虞仲、夷逸、朱张、柳下惠、少连。孔子说：“能做到不屈降自己的志向，不辱没自己的身份，是伯夷和叔齐吧！”又说：“柳下惠、少连，屈降了自己的志向，辱没了自己的身份，但言语合宜，行为谨慎，那也不过如此罢了。”又说：“虞仲、夷逸避世隐居，直言不惧，洁身自好，弃位合乎权变。我和他们不同，无可无不可。”

大师挚适齐[1]，亚饭干适楚，三饭缭适蔡，四饭缺适秦[2]，鼓方叔入于河[3]，播鼗武入于汉[4]，少师阳、击磬襄入于海[5]。（18.9）

注释

[1] 大师挚：大师，乐官之长，名挚。大，同“太”。　[2] 亚饭、三饭、四饭：亚，次也。古代天子诸侯用饭时有奏乐之礼。据《白虎通·礼乐篇》，天子每日四食，诸侯每日三食。这里说的是天子诸侯用饭时奏乐的乐官。干、缭、缺是他们的名。　[3] 鼓方叔：击鼓的乐官。名方叔。　[4] 鼗（táo）：即拨浪鼓，两旁有耳，摇动手柄，两耳敲击鼓面发声。　[5] 少师：副乐官。

译文

太师挚前往齐国，二饭乐师干去了楚国，三饭乐师缭逃到了蔡国，四饭乐师缺流落至秦国，击鼓的乐师方叔迁居黄河边，摇小鼓的乐师武迁居汉水边，少师阳和击磬的乐师襄迁居海边。

周公谓鲁公曰[1]：“君子不施其亲[2]，不使大臣怨乎不以。故旧无大故，则不弃也。无求备于一人。”（18.10）

注释

[1]周公谓鲁公曰：周公，周公旦。鲁公，周公之子伯禽。周公被封于鲁，以成王年少而相成王，伯禽遂代周公就封于鲁。或说这是为鲁人传诵的伯禽就封时周公的训诫之辞，孔子引以训诫弟子。　[2]施：通“弛”，疏忽，怠慢。

译文

周公对鲁公说：“君子不怠慢他的亲族，不让臣子抱怨没有被听信。老臣旧属如果没有犯下严重的过失，就不要弃之不用。不要对一个人求全责备。”

周有八士：伯达、伯适、仲突、仲忽、叔夜、叔夏、季随、季騧[1]。（18.11）

注释

[1]伯达等八人：古代兄弟排行依次为伯、仲、叔、季。这八个人可分四辈，且每辈取名押韵（古音与今音不同），因而前人或以为这八人是四对双生子，其生平不详。

译文

周代有八位贤才：伯达、伯适、仲突、仲忽、叔夜、叔夏、季随、季騧。

文史链接

伯夷与叔齐

伯夷和叔齐的故事常被后人引述，孔子也十分尊敬他们。

伯夷和叔齐是孤竹君的长子和三子。孤竹君死前留下遗命，要三子叔齐继位。但父亲死后，叔齐坚持让位给长兄。伯夷则认为叔齐是父亲认定的继承人，拒绝接受王位并逃离孤竹国。叔齐坚持王位当由长兄继承，不肯践位，因此也随之离国。

两人在自我放逐中步入晚年，听说周文王素来尊老，便一同前往周邦。当他们到达时，文王已逝，武王正准备讨伐商朝的暴君纣王。伯夷和叔齐拉着武王的马缰绳，劝阻道："父亲还没入葬就出兵，怎么能称作孝？以臣弑君，怎能称作仁？"

武王的随从立刻要杀二人，姜太公阻止道："这两个人坚持去做自己认为正确的事，是义人。"并派人送走了他们。

武王灭商，建立周朝。天下人都尊奉武王为共主，伯夷和叔齐却不耻这样的行为。他们隐居首阳山，拒绝吃周朝的粮食，靠野菜充饥度日，最后饿死在那里。

孔子赞扬伯夷、叔齐的义行，也推崇周的制度与文化。换作孔子处在那样的情况下，他会怎样做呢？答案我们不得而知。不过在孔子的学生眼里，他们的老师与伯夷、叔齐是同一类人。有人问子贡：孔子会帮助不守父子之道的卫君吗？子贡没有直截了当地向老师提出这个问题，他只说："伯夷和叔齐有过怨悔吗？"孔子回答道："他们求仁德也得到了仁德，又有什么可怨悔的？"子贡立刻心领神会——老师绝不会帮助无道的卫君。他明白，老师与伯夷、叔齐一样，即便是与世相违，也不肯折损自己认定的道义。

思考讨论

1. 接舆狂歌过孔子，在后世文学中成为一个典型的狂狷形象。请试着找一下后世文人用此典故的诗咏。

2. 孔门师徒问津而受到长沮、桀溺讥嘲的故事，被后人凝练为"沮溺"、"问津"，成为后世诗文常用的典故。请试举例说明。

子张第十九

子张曰："士见危致命，见得思义，祭思敬，丧思哀，其可已矣。"（19.1）

译文

子张说："士人遇见危难肯牺牲性命，看见可得到的东西能考虑是否合于道义，祭祀时态度恭敬，居丧时心怀哀情，这样也就可以了。"

子张曰："执德不弘[1]，信道不笃，焉能为有？焉能为亡[2]？"（19.2）

注释

[1]执德不弘：执守小德而不能宏大。执，执守。弘，弘扬。或说弘，强也，对德行执守不坚。　[2]"焉能"二句：可有可无之意。亡，通"无"。

译文

子张说："执守小德而不能宏大，信奉大道却不够坚定。这样的人有他如何？没有他又如何？"

子夏之门人问交于子张[1]。子张曰："子夏云何？"对曰："子夏曰：'可者与之，其不可者拒之。'"子张曰："异乎吾所闻：君子尊贤而容众，嘉善而矜不能[2]。我之大贤与，于人何所不容？我之不贤与，人将拒我，如之何其拒人也？"（19.3）

注释

[1]交：指交友之道。　[2]矜：怜悯。

译文

子夏的弟子向子张请教交友之道。子张说："子夏怎么说？"弟子回答道："子夏说：'可以结交的就结交，不可结交的就拒绝。'"子张说："这跟我听夫子说的不同：君子尊重贤人，也能容纳众人。嘉许有才能的人，也怜悯无能的人。如果我很贤明，对什么人我不能包容？如果我不贤明，别人自然拒绝我，又怎么能去拒绝别人呢？"

子夏曰："虽小道，必有可观者焉。致远恐泥[1]，是以君子不为也。"（19.4）

注释

[1]泥（nì）：拘泥不通。

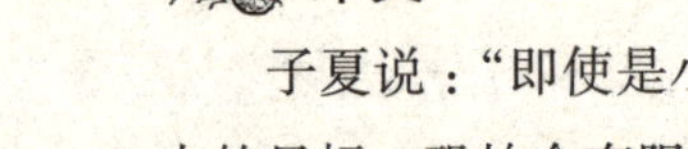

译文

子夏说："即使是小技艺，也有可取的地方。但想借此达到远大的目标，恐怕会有阻碍，所以君子不致力于小技艺。"

子夏曰："日知其所亡[1]，月无忘其所能，可谓好学也已矣。"（19.5）

注释

[1] 亡：通"无"。

译文

子夏说："每天知道以前未知的东西，每月不忘已经学会的东西，这就可以称作好学了。"

子夏曰："博学而笃志[1]，切问而近思，仁在其中矣。"（19.6）

注释

[1] 笃志：志向坚定。或说志，记忆，牢记不忘之意。

译文

子夏说："广泛地学习，并坚守自己的志向。就切身之处发问，多思考讨论近前的问题。仁德就在其中了。"

子夏曰："百工居肆以成其事[1]，君子学以致其道[2]。"（19.7）

注释

[1] 百工：各种工匠。百言其多。肆：集市中工匠制作、陈列器物的地方。　[2] 君子学以致其道：君子通过学习达到大道。这里指学习能让君子志向坚定，不为外物所惑，就像工匠在自己工作的地方专习本业，不会见异物而思迁。

译文

子夏说："工匠们在工作场所中制造器物，君子则通过学习通达大道。"

子夏曰："小人之过也必文[1]。"（19.8）

注释

[1] 文（wèn）：文饰，掩饰。

译文

子夏说："小人犯了过错，总是刻意掩饰。"

子夏曰："君子有三变：望之俨然，即之也温[1]，听其言也厉。"（19.9）

注释

[1] 即：靠近，接近。

译文

子夏说："旁人看来君子有三种变化：远望时端庄可畏，接近时温和可亲，听他说话则严肃不苟。"

子夏曰："君子信而后劳其民[1]，未信，则以为厉己也。信而后谏，未信，则以为谤己也。"（19.10）

注释

[1] 信：朱熹《论语集注》："信，谓诚意恻怛而人信之也。"

译文

子夏说："在位者先使百姓信服，再役使他们，否则，百姓以为是在虐待他们。先得到君主信任再进谏，否则，君主以为是在毁谤他。"

子夏曰："大德不逾闲[1]，小德出入可也。"（19.11）

注释

[1] 闲：本义阑，这里指范围、法度。

译文

子夏说："人的德行节操，大处不能越过界限，小处有些出入是可以的。"

子游曰："子夏之门人小子，当洒扫应对进退[1]，则可矣，抑末也。本之则无，如之何？"子夏闻之，曰："噫！言游过矣！君子之道，孰先传焉？孰后倦焉[2]？譬诸草木，区以别矣[3]。君子之道，焉可诬也[4]？有始有卒者，其惟圣人乎！"（19.12）

注释

[1]洒扫应对进退：这里泛指礼仪的细节之处。　[2]"孰先"二句：倦，如"诲人不倦"的"倦"，倦于传授的意思。朱熹《论语集注》引程子曰："君子教人有序，先传以小者近者，而后教以大者远者。非先传以近小，而后不教以远大也。"　[3]"譬诸"二句：草木性质不同，种植方法各异。比喻弟子天性不同，所学不宜相同。　[4]焉可诬也：指弟子才性有高下，学问有深浅，不能置之不顾而一概教以高远之道。

译文

子游说："子夏的弟子们，做些打扫厅堂、接待宾客、进退周旋之类的事情，是可以的，但这只是细枝末节而已。至于根本的道理全然不懂，这怎么可以呢？"子夏听了这话，说："唉！言游的话不对！君子之道，什么先传授？什么搁置在后面传授？譬如不同的草木，要区别门类种植。君子之道，怎么能不讲次序歪曲地对人传授呢？能贯通始终、本末如一的，大概只有圣人吧！”

子夏曰：“仕而优则学[1]，学而优则仕。”（19.13）

注释

[1]优：有余。

译文

子夏说：“做官而有余力就该学习，学习而有余力便可以做官。”

子游曰：“丧致乎哀而止。”（19.14）

译文

子游说：“居丧时尽他的哀情就够了。”

子游曰：“吾友张也为难能也，然而未仁。”（19.15）

译文

子游说：“我的朋友子张诚然难能可贵，但还没有达到仁的境界。”

曾子曰：“堂堂乎张也[1]，难与并为仁矣。”（19.16）

注释

[1]堂堂：朱熹《论语集注》："堂堂，容貌之盛。言其务外自高，不可辅而为仁，亦不能有以辅人之仁也。"说或过于贬抑子张。毛奇龄《论语稽求篇》以为："堂堂，夸大之称。惟夸大不亲切，故难并为仁。""堂堂之阵"、"堂堂之锋"，多用于形容两军对阵，毛氏以为堂堂"皆以相对难近为言"。

译文

曾子说："子张高远得难以接近，难以与他同行仁道。"

曾子曰："吾闻诸夫子：人未有自致者也[1]，必也亲丧乎！"（19.17）

注释

[1]致：尽，尽情。

译文

曾子说："我听老师说过：平日人不能尽情地流露感情，一定只有在父母过世时才能如此吧！"

曾子曰："吾闻诸夫子：孟庄子之孝也[1]，其他可能也，其不改父之臣与父之政，是难能也。"（19.18）

注释

[1]孟庄子：鲁大夫仲孙速，献子之子。献子名蔑，有贤德，卒于鲁襄公十九年（前554）。孟庄子卒于襄公二十三年（前550），相距四年。因而有旧注说此章是“三年无改于父之道，可谓孝矣”（《学而第一》1.11）之意。

译文

曾子说：“我听老师说过：孟庄子的孝顺，其他都容易做到，然而不改变父亲的臣属以及父亲的政治主张，这是很难做到的。”

孟氏使阳肤为士师[1]，问于曾子。曾子曰：“上失其道，民散久矣。如得其情，则哀矜而勿喜[2]。”（19.19）

注释

[1]阳肤：曾子弟子。士师：主管刑狱的官员。　[2]哀矜：怜悯，同情。

译文

孟氏让阳肤出任法官，阳肤向曾子请教应该怎样做。曾子说：“执政者行事不合正道，民心早已涣散。如果审查出了案件的实情，应该怜悯他们，不要洋洋得意。”

子贡曰：“纣之不善[1]，不如是之甚也。是以君子恶居下流[2]，天下之恶皆归焉。”（19.20）

注释

[1]纣：商朝末代暴君，周武王灭商后，自焚而死。[2]恶：厌恶。下流：地形卑下，水流汇聚之处。比喻人若有恶行，恶名都将归于此人。

译文

子贡说："纣王的不善，不像现在流传的这样不堪。因此君子憎恶处于下流之地，否则天下的恶名都将归于他一个人。"

子贡曰："君子之过也，如日月之食焉：过也，人皆见之；更也，人皆仰之。"（19.21）

译文

子贡说："君子的过失，就像日食、月食一样：犯了错，人人都能看见；改正了，人人都会仰望。"

卫公孙朝问于子贡曰[1]："仲尼焉学？"子贡曰："文武之道[2]，未堕于地，在人。贤者识其大者，不贤者识其小者。莫不有文武之道焉。夫子焉不学？而亦何常师之有？"（19.22）

注释

[1]公孙朝：卫国大夫。春秋时鲁、楚、郑、卫各有一人名公孙朝，记述者加一卫字以别之。 [2]文武之道：指周文王、周武王之道。

译文

公孙朝问子贡道："仲尼从何处学习？" 子贡说："文王武王之道，并没有失传，还记在人们心中。有贤才的人能记住大的方面，没有贤才的人能记住细节。天下无一处没有文王武王之道。我的老师哪里不能学习？又为什么要有固定的老师呢？"

叔孙武叔语大夫于朝曰[1]："子贡贤于仲尼。"子服景伯以告子贡，子贡曰："譬之宫墙，赐之墙也及肩，窥见室家之好。夫子之墙数仞[2]，不得其门而入，不见宗庙之美、百官之富。得其门者或寡矣，夫子之云，不亦宜乎！"（19.23）

注释

[1] 叔孙武叔：鲁大夫，名州仇，字叔，武是谥号。语：告诉。

[2] 仞：高度计量单位，七尺为一仞。或说八尺。

译文

叔孙武叔在朝廷上对其他大夫说："子贡胜过他的老师仲尼。"子服景伯把这话告诉子贡，子贡说："好比房屋外的围墙，我的学问就像及肩高的围墙，站在墙外就可以望见房屋的美好。老师的学问就像几仞高的围墙，找不到门走进去，就看不见里面宗庙的华美、屋舍的富丽。能找到门的人或许很少，叔孙武叔说这话，也在情理之中啊。"

叔孙武叔毁仲尼。子贡曰："无以为也[1]！仲尼不可毁也。他人之贤者，丘陵也，犹可逾也。仲尼，日月也，无得而逾焉。人虽欲自绝，其何伤于日月乎？多见其不知量也[2]。"（19.24）

注释

[1] 以：用。　　[2] 多：副词，只。

译文

叔孙武叔诋毁孔子。子贡说："这样做没有用！我的老师仲尼不可诋毁。别人的贤才，就像山坡土丘，尚可以超越。仲尼的贤才，则是太阳和月亮，不可能超越。即使有人要逃离日月的光辉，对日月又有何损害？只能表现出他不自量力而已。"

陈子禽谓子贡曰："子为恭也，仲尼岂贤于子乎？"子贡曰："君子一言以为知，一言以为不知，言不可以不慎也。夫子之不可及也，犹天之不可阶而升也。夫子之得邦家者，所谓立之斯立[1]，道之斯行[2]，绥之斯来[3]，动之斯和[4]。其生也荣，其死也哀，如之何其可及也？"（19.25）

注释

[1] 立之斯立：以礼乐教化扶助人民立足，人民便能受教化而

立足。立，立足。之，指百姓。下文三个“之”亦同。 [2]道之斯行：以道德引导人民，人民自然遵循。道，同“导”。 [3]绥之斯来：安定邦内的百姓，四方的百姓自然闻风而来。绥，安定。 [4]动之斯和：即使劳役百姓，百姓也能忘记劳苦，和睦相处。动，劳役、动员。

译文

陈子禽对子贡说：“您是有意恭敬逊让您的老师吧，仲尼真的胜过您吗？”子贡说：“君子由一句话就可以表现出智慧，由一句话也可以表现出无知，因而言辞不可以不谨慎。夫子的不可及，犹如人不可能沿着梯子爬上天一样。夫子如果能执掌一国一家的政权，正所谓教育百姓自立，百姓便能自立；以道德引导百姓，

他们立刻遵行；安定一方之民，四方之民都会过来归服；鼓动他们劳动，他们便能众人一心。夫子生时受人景仰，死时令人哀痛，一般人怎能比得上？”

文史链接

孔子与子贡

孔子虽然一生没有受到重用，但他的门人多是当时的闻人，凭他们的宣扬，孔子在上层社会里传下很大的声名。子贡是积极为孔子宣扬圣名的弟子之一。他与老师之间感情深厚，孔子去世，弟子们如丧其父，为孔子守墓三年后散去，独子贡留下，在墓旁筑了茅舍继续守丧三年。

子贡初拜孔子为师，并不感到孔子有什么了不起，后来才渐渐改变了自己的看法。据《论衡·讲瑞》记载，子贡跟从孔子一年，自诩超过孔子；两年，自以为与孔子相当；三年，自知不及孔子。三年之后他对孔子的学问心悦诚服，称孔子是圣人，以日月相比拟。每当孔子遭人怀疑、毁谤，子贡总是立刻挺身而出，维护师尊。据说当三桓在孔子死去十余年后侮辱孔子时，他还在为孔子辩解，足可见其忠心。子贡能言巧辩，长于外交，又善经商，在当时有很高的社会地位。《史记》上记载他“长相鲁卫，家累千金”，“夫使孔子名布于天下者，子贡先后之也”。

思考讨论

清初学者顾炎武有名著《日知录》，了解该书的主要内容，并解释其书名的取义。

尧曰第二十

尧曰[1]："咨[2]！尔舜！天之历数在尔躬[3]，允执其中[4]，四海困穷，天禄永终[5]。"舜亦以命禹。

曰[6]："予小子履[7]，敢用玄牡[8]，敢昭告于皇

虞帝大舜

皇后帝：有罪不敢赦，帝臣不蔽[9]，简在帝心[10]。朕躬有罪，无以万方，万方有罪，罪在朕躬。”

周有大赉[11]，善人是富。“虽有周亲[12]，不如仁人。百姓有过，在予一人。”

谨权量，审法度[13]，修废官[14]，四方之政行焉。兴灭国，继绝世，举逸民，天下之民归心焉。

所重：民、食、丧、祭[15]。

宽则得众，信则民任焉[16]，敏则有功，公则说。（20.1）

注释

[1]尧曰：这段话是尧禅位时命舜之辞。　[2]咨：感叹词。[3]历数：本指日月行天经历的度数，古人认为王朝更替与日月运行的理数相关，故用以指王朝更迭的顺序。　[4]允执其中：保持中正之道。允，信。中，指中正之道。　[5]“四海”二句：言为政能持中正之道，则德被四海，永葆禄位。困，极也。永终，主要有两种解释。一说即永绝，若是四海之民陷入困穷之中，则君位永绝。一说非恶词，有期许勉励之意。　[6]曰：《墨子·兼爱下》和《吕氏春秋·顺民》都认为这段话是成汤战胜夏桀之后，遭遇大旱，向天求雨之辞。孔安国、班固等则以为是汤伐桀之前告明天帝之辞。[7]予小子：君主自谦之辞。履：即商代开国君主汤。　[8]玄牡：大祭牺牲用牛，这里应指黑色的公牛。玄，黑色。牡，雄性动物称牡。[9]帝臣不蔽：帝臣，汤自称。《墨子·兼爱下》引此句作“有善不敢蔽”，

不敢隐蔽不用天帝贤良的臣属。或说帝臣指夏朝末代君主桀，他的罪过不可隐蔽。　[10]简在帝心：用人善恶，天帝已简阅于心。简，简阅。　[11]赉(lài)：赐予，指周初武王分封诸侯。　[12]“虽有周京”四句：有旧注以为是周武王分封诸侯之辞。　[13]“谨权量”二句：泛指统一度量衡。或说法度指礼乐制度。权，测量重量的量衡。量，测量容量的量衡。法，律，校准音律的标准。度，测量长度的量衡。　[14]废官：旷废的官职。这一段多数注者认为是孔子的话。或说自“谨权量”以下皆孔子语，或说自“兴灭国”以下为孔子语。　[15]“所重”句：指君主应重视人民、粮食、丧礼、祭祀四事。或说“民食”连文，是一事。　[16]信则民任焉：叶德辉《天文本论语校勘记》云：“‘宽则得众’下无‘信则民任焉’句，皇本、唐本、津藩本、正平本均无此句”。汉石经亦无此句。或是后人因《阳货》“宽则得众”下有此五字而误增入。

译文

尧说：“啊！舜！天命所授的帝位已落到你身上，你要持守中正之道，要将圣德穷极四海，才能期盼永葆上天给你的禄位。”舜也将这番话告诉禹。

（汤）说：“我履，冒昧用黑色的公牛献祭，明白地向伟大的天帝祷告：有罪的人我不敢擅自赦免，您贤良的臣属我也不敢隐蔽不用，或善或恶，您早已明察选择于心。我若有罪，请不要责罚天下万方，天下万方若是有罪，请由我一人承担。”

周得上天赏赐，一时有许多贤才。“即使是至亲之人，也不如有仁德之人。百姓如果有过错，请责罚我一人。”

谨慎地审定度量衡，恢复废置的官职，全国的政令得以通行。兴复被灭亡的诸侯国，继承已断绝的世家，举荐被遗落的人才，天下人心自然归服。

君主应重视人民、粮食、丧礼、祭祀。

有宽厚容人之心就能得到众人的拥戴，以诚待人就能得到人民的信任，勤敏就会有出色的政绩，公允就能使百姓和乐。

子张问于孔子曰："何如斯可以从政矣？"

子曰："尊五美，屏四恶[1]，斯可以从政矣。"

子张曰："何谓五美？"

曰："君子惠而不费，劳而不怨，欲而不贪，泰而不骄，威而不猛。"

子张曰："何谓惠而不费？"

子曰："因民之所利而利之，斯不亦惠而不费乎？择可劳而劳之，又谁怨？欲仁而得仁，又焉贪？君子无众寡，无小大[2]，无敢慢，斯不亦泰而不骄乎？君子正其衣冠，尊其瞻视，俨然人望而畏之，斯不亦威而不猛乎？"

子张曰："何谓四恶？"

子曰："不教而杀谓之虐，不戒视成谓之暴[3]，慢令致期谓之贼[4]，犹之与人也[5]，出纳之吝谓之有司[6]。"（20.2）

注释

[1]屏：屏除，摒弃。 [2]无小大：指权势的小大，无论贫贱或富贵。 [3]不戒视成：不预先告诫百姓而苛求眼前成效。[4]慢令致期：指政令缓于前而急于后，执政者起先怠慢，临时给百姓限期。 [5]犹之与人也：犹之，犹言均之，即财物总是要给别人的意思。 [6]有司：负责具体事务的小官吏。

译文

子张向孔子请教："怎样做才可以从事政务？"

孔子说："尊崇五种美德，摒弃四种恶行，这样就可以从事政务了。"

子张问道："什么是五种美德？"

孔子说："君子博施济众而不劳民伤财，劝劳百姓而不怨苦劳碌，有所求取而不贪得无厌，雍容大度而不盛气凌人，仪容威严而不气势汹汹。"

子张问："怎样做到博施济众而不劳民伤财？"

孔子说："顺应人民能得利益之处引导他们得利，这不也是博施济众而不劳民伤财吗？选择适合的时间役使人民，又有谁会生怨？想要的是仁道又得到了仁道，还有什么可贪？无论人多人少，无论贫贱富贵，君子都不怠慢，这不也是雍容大度而不盛气凌人吗？君子端正衣冠，整肃仪容，庄重可敬让人望而生畏，这不也是仪容威严而不气势汹汹吗？"

子张又问："什么是四种恶行？"

孔子说："不敦行教化而好用严刑酷法，这是行虐。不先申诫却苛求成效，这是施暴。政令马虎却苛于时限，这是残害百姓。总要给人财物却出手吝啬，这是小官吏的作风。"

子曰："不知命，无以为君子也。不知礼，无以立也。不知言[1]，无以知人也。"（20.3）

注释

[1]知言：指辨别言语的是非善恶。

译文

孔子说："不知天命，便不能成为君子。不懂礼，便不能立身。不能理解言语，便不能了解别人。"

文史链接

尧、舜、禹

相传尧是上古时的一位帝王。他一心想着百姓，若是有人受冻挨饿，他便自责失职；若是有人犯罪，他便归咎于自己不善领导，主动承担责任。尧到年老时，召集首领们推选一位继承人，众人一致举荐舜。

舜本是一个出身贫贱的农夫。他为人宽厚孝顺，几次遭到继母和同父异母兄弟的陷害却不计较。他在哪里耕种，哪里的农人便互相谦让。他在哪里造陶器，哪里的陶工便兢兢业业。尧帝把自己的两个女儿嫁给了舜，又对他进行了长期的考察，最后放心地把王位让给了他。

尧帝时有一场殃及全国的水灾。禹受命治水，经历三十年终于平定水患。在这期间，他曾三过家门而不入。因为禹治水有功，舜年老时照例把帝位给了禹。

禹也选定了一位叫益的继承人。禹死后，百姓们不拥戴益，一齐拥戴禹的儿子启，于是启践位称帝。旧例一破便不复回，尧、舜、禹之间选贤与能推让帝位的制度——禅让制，就这样终结了。之后便是我国第一个世袭朝代——夏代。

思考讨论

总结《论语》中孔子对民、食、丧、祭的看法。

附录一

孔子生平年表

鲁襄公二十二年（前551）

阳历9月28日生于鲁国陬邑昌平乡（今山东曲阜南辛镇鲁源村）。

鲁襄公二十四年（前549）

3岁。其父叔梁纥卒，葬于防山（今曲阜东25里处）。孔母颜征在携子移居曲阜阙里，生活艰难。

鲁昭公五年（前537）

15岁。孔子日见其长，已意识到要努力学习做人与生活的本领，故曰："吾十有五而志于学。"（《论语·为政第二》2.4）

鲁昭公七年（前535）

17岁。孔母颜征在卒，孔子合葬父母。是年，季氏宴请士一级贵族，孔子穿丧服赴宴，被季氏家臣阳虎拒之门外。

鲁昭公九年（前533）

19岁。孔子娶宋人亓官氏之女为妻。

鲁昭公十年（前532）

20岁。回鲁，亓官氏生子。据传此时正好赶上鲁昭公赐鲤鱼于孔子，故给其子起名为鲤，字伯鱼。是年孔子开始为委吏，管理仓库。

鲁昭公十一年（前 531）

21 岁。任季孙氏家乘田之职，管理畜牧。孔子说："吾少也贱，故多能鄙事。"（《论语 · 子罕第九》9.6）此"鄙事"当包括委吏、乘田。

鲁昭公十七年（前 525）

27 岁。郯国国君郯子朝鲁，孔子前往求教，询问郯国古代官制。

鲁昭公二十年（前 522）

30 岁。自 15 岁有志于学至此时已逾 15 年，孔子经过努力，在社会上已站住脚，故云"三十而立"（《论语 · 为政第二》2.4）。是年，齐景公与晏婴来鲁国访问，孔子参与会见。辞季孙氏家职务。授徒设教，创办私学。

鲁昭公二十四年（前 518）

34 岁。获鲁昭公支持，往周朝国都洛邑，问礼于老聃，问乐于苌弘。

鲁昭公二十五年（前 517）

35 岁。回国。鲁国发生"八佾舞于庭"事件。《史记·孔子世家》云："昭公率师击（季）平子，平子与孟孙氏、叔孙氏三家共攻昭公，昭公师败，奔齐。"昭公在与鲁三家权力之争中失败，流亡齐国。孔子亦赴齐。过泰山，感慨"苛政猛于虎"。齐景公问政于孔子。

鲁昭公二十七年（前 515）

37 岁。齐大夫欲害孔子，孔子由齐返鲁。自此直至 51 岁出仕前，致力于私学，有教无类。史称孔子弟子三千，贤者七十二（或七十七）。

鲁昭公二十八年（前 514）

38 岁。晋魏献子（名舒）执政，举贤才不论亲疏。孔子认为这是义举，云："近不失亲，远不失举，可谓义矣。"

鲁昭公二十九年（前 513）

39 岁。是年冬天晋铸刑鼎，孔子曰："晋其亡乎，失其度矣。"

鲁昭公三十年（前 512）

40 岁。经过几十年的磨炼，对人生各种问题有了比较清楚的认识，故自谓"四十而不惑"。

鲁定公五年（前 505）

47 岁。阳货通过控制季孙氏进而掌控鲁国大权。孔子路遇阳货，婉拒其出仕要求。

鲁定公八年（前 502）

50 岁。自谓"五十而知天命"。鲁三家攻阳货，阳货失势，奔齐奔晋。

鲁定公九年（前 501）

51 岁。出仕，任鲁国中都宰，治理中都一年，卓有政绩。

鲁定公十年（前 500）

52 岁。孔子由中都宰升小司空，后升大司寇，摄相事。夏天随定公与齐侯相会于夹谷。

鲁定公十二年（前 498）

54 岁。孔子为鲁司寇。为削弱三桓，采取"堕三都"的措施，中途而废。

鲁定公十三年（前 497）

55 岁。齐国赠鲁国美女、良马。孔子辞官，去鲁适卫，开始了长达 14 年的周游列国，先后辗转于卫、曹、宋、郑、陈、蔡、楚等七国。

鲁定公十四年（前 496）

56 岁。仕卫，卫灵公“致粟六万”。见卫灵公夫人南子。

鲁哀公二年（前 493）

59 岁。孔子由鲁至卫。卫灵公问陈（阵）于孔子，孔子婉言拒绝了卫灵公。孔子在卫国住不下去，去卫西行。经曹国至宋国。宋司马桓魋讨厌孔子，扬言要加害孔子，孔子微服而行。

鲁哀公三年（前 492）

60 岁。孔子自谓“六十而耳顺”。孔子过郑到陈国，在郑国都城与弟子失散，独自在东门等候弟子来寻找，被人嘲笑“累累若丧家之犬”。孔子欣然笑曰：“然哉，然哉！”

鲁哀公五年（前 490）

62 岁。孔子自蔡到叶。叶公问政于孔子，并与孔子讨论有关正直的道德问题。在去叶返蔡的途中，孔子遇隐者。

鲁哀公六年（前 489）

63 岁。适楚，途经陈、蔡间。与弟子被困于荒野，绝粮七日。许多弟子因困饿而病，后被楚人相救。由楚返卫，途中又遇隐者。

鲁哀公十年（前 485）

67 岁。孔子在卫。孔子夫人亓官氏卒。

鲁哀公十一年（前 484）

68 岁。是年齐师伐鲁，孔子弟子冉有率鲁师与齐战，获胜。季康子问冉有指挥才能从何而来，冉有答曰“学之于孔子”。季康子派人以币迎孔子归鲁。孔子周游列国 14 年，至此结束。此后，进入其晚年教育生涯，并致力于古代文献的整理和研究。

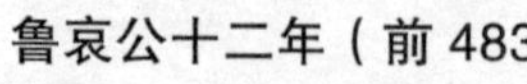

鲁哀公十二年（前483）

69岁。孔子之子伯鱼卒。

鲁哀公十三年（前482）

70岁。孔子自谓“七十而从心所欲，不逾矩”。

鲁哀公十四年（前481）

71岁。弟子颜回病卒。是年，鲁君西狩获麟，孔子《春秋》绝笔。

鲁哀公十五年（前480）

72岁。孔子闻卫国政变，预感到子路有生命危险。子路果然战死于卫。

鲁哀公十六年（前479）

73岁。孔子患病，不愈而卒。弟子为之服丧三年，子贡为之守墓六年。

附录二

孔子七十七弟子一览表

序号	姓名	字	国籍	小孔子岁数	入学时期
1	颜回	子渊	鲁	30 岁	第二期
2	闵损	子骞	鲁	15 岁	第一期
3	冉耕	伯牛	鲁	7 岁	第一期
4	冉雍	仲弓	鲁	29 岁	第二期
5	宰予	子我	鲁	29 岁	第二期
6	端木赐	子贡	卫	31 岁	第二期
7	冉求	子有	鲁	29 岁	第二期
8	仲由	子路，又季路	鲁	9 岁	第一期
9	言偃	子游	吴或鲁	45 岁	第四期
10	卜商	子夏	卫	44 岁	第四期
11	颛孙师	子张	陈或鲁	48 岁	第四期
12	曾参	子舆	鲁	46 岁	第四期
13	澹台灭明	子羽	鲁	39 或 49 岁	第四期
14	宓不齐	子贱	鲁	30 或 49 岁	第二期（或第四期）
15	原宪	子思	鲁或宋	36 岁	第三期
16	公冶长	子长	齐或鲁	未详	第二期
17	南宫括	子容	鲁	未详	未详
18	公皙哀	季次	齐	未详	未详

续表

序号	姓名	字	国籍	小孔子岁数	入学时期
19	曾点	皙	鲁	未详	未详
20	颜无繇	路	鲁	6 岁	第一期
21	商瞿	子木	鲁	29 岁	第二期
22	高柴	子羔，又季羔	卫或齐	30 或 40 岁	第二期（或第三期）
23	漆雕开（启）	子开	鲁或蔡	11 岁	第一期
24	公伯寮	子周	鲁	未详	未详
25	司马耕	子牛	宋	未详	第三期
26	樊须	子迟	齐或鲁	36 岁	第三期
27	有若	子有	鲁	43 或 36 岁	第四期（或第三期）
28	公西赤	子华	鲁	42 岁	第四期
29	巫马施（期）	子旗	鲁或陈	30 岁	第二期
30	梁鳣	叔鱼	鲁	29 或 39 岁	第二期（或第三期）
31	颜幸	子柳	鲁	46 岁	第四期
32	冉孺	子鲁	鲁	50 岁	第四期
33	曹恤	子循	未详	50 岁	第四期
34	伯虔	子析	未详	50 岁	第四期
35	公孙龙	子石	楚或卫	53 岁	第四期
36	冉季	子产	鲁	未详	未详
37	公祖句兹	子之	未详	未详	未详
38	秦祖	子南	秦	未详	未详

续表

序号	姓名	字	国籍	小孔子岁数	入学时期
39	漆雕哆	子敛	鲁	未详	未详
40	颜高（刻）	子骄	鲁	50岁	第四期
41	漆雕徒父	未详	鲁	未详	未详
42	壤驷赤	子徒	秦	未详	未详
43	商泽	子季	未详	未详	未详
44	石作蜀	子明	未详	未详	未详
45	任不齐	子选	楚	未详	未详
46	公良孺	子正	陈	未详	第三期
47	后处	子里	齐	未详	未详
48	秦冉	开	未详	未详	未详
49	公夏首	子乘	鲁	未详	未详
50	奚容蒧	子皙	卫	未详	未详
51	公肩定	子中	鲁或晋	未详	未详
52	颜祖（相）	子襄	鲁	未详	未详
53	鄡单	子家	未详	未详	未详
54	句井疆	子疆	卫	未详	未详
55	罕父黑	子索	未详	未详	未详
56	秦商	子丕	鲁	4岁	第一期
57	申党	周	鲁	未详	未详
58	颜之仆	子叔	鲁	未详	未详
59	荣旂	子祈	未详	未详	未详
60	县成	子祺	鲁	未详	未详
61	左人郢	子行	鲁	未详	未详
62	燕伋	子思	未详	未详	未详

续表

序号	姓名	字	国籍	小孔子岁数	入学时期
63	郑国	子徒	未详	未详	未详
64	秦非	子之	鲁	未详	未详
65	施之常	子恒	未详	未详	未详
66	颜哙	子声	鲁	未详	未详
67	步叔乘	子车	齐	未详	未详
68	原亢	籍	未详	未详	未详
69	乐欬（咳）	子声	鲁	未详	未详
70	廉絜（洁）	庸	卫	未详	未详
71	叔仲会	子期	晋或鲁	50 或 54 岁	第四期
72	颜何	冉	鲁	未详	未详
73	狄黑	皙	未详	未详	未详
74	邦巽	子敛	鲁	未详	未详
75	孔忠	子蔑	鲁	未详	未详
76	公西舆如	子上	未详	未详	未详
77	公西葴	子上	鲁	未详	未详

孔子学生分四期：

第一期：孔子 37 岁以前；

第二期：孔子 37—55 岁；

第三期：孔子 55—68 岁；

第四期：孔子 68 岁以后。

后　记

有一次，偶然看到某市小学一年级的语文课本中有贺知章的《回乡偶书》一诗："少小离家老大回，乡音无改鬓毛衰。儿童相见不相识，笑问客从何处来。""衰"字加了注音 shuāi。

衰，在此处应该读 cuī，在古义中有"等级次第的差别或依次递减"的意思，如《左传・桓公二年》："故天子建国，诸侯立家，卿置侧室，大夫有贰宗，士有隶子弟，庶人工商各有分亲，皆有等衰。"引申为减少、稀疏。结合贺知章的《回乡偶书》，这里"衰"的意思当指鬓毛减少、疏落，而不是衰老的意思。再从整首绝句的韵脚来看，"衰"字与首句"少小离家老大回"中的"回"和末句"笑问客从何处来"中的"来"，这三字在"诗韵"即"平水韵"中同属灰韵。

这些属于古代文化常识性的内容，过去龆龀蒙童均能脱口成韵，如今在专业教育出版社的小学语文教材中出现这样的差错，管窥一斑，不由得让人担忧。

读错一个字音尚是小事，倘若几代人不读"四书"、"五经"、唐诗、宋词……那中华民族真的就没有了灵魂。民族没有了精神内核，没有了灵魂，如何奢谈中华民族的伟大复兴？

我们承认现代教育将中国教育的视野引向更为广阔的国际空间，带来了许多新理念，给中国教育带来了活力。但是，如何在引入国际现代教育理念和现代教育方式的同时，坚守中国具有传承价值的优秀传统文化？如何在全面实施素质教育的同时，弘扬中国文化特色以保持中国文化特有的气质？这是当前中国教育值得深入研究的问题之一。

梁启超先生曾言："吾不患外国学术思想之不输入，吾惟患本国学术之不发明。"然而，本国学术思想之发明非一代人可以成就，须"由其民族自身传递数世、数十世血液浇灌、精肉所培壅，而始得开此民族文化之花，结此民族文化之果"。要国民热爱中国的传统文化，必须本国先民的成就有其可爱之处，而且要发扬国民精神，也当从固有的精神中有所抉发。

秋霞圃书院自2010年开始筹划编撰一套适合大众普及尤其是中小学生使用的"国学基本教材"，自小学至高中每学期能有一册在手，通过以长期渐进、系统地熏陶、滋养，使中小学生在潜移默化中亲近中国的历史与文化，并使中华传统文化在当下的社会生活中"活化"。当然这种"活化"不是简单的复古，而是在当代的语境中重新梳理中华文明的脉络，从中汲取适应时代需要、社会需要，乃至适应工业文明与后工业文明需要的养料，提炼出中华传统文化的核心价值，以此来滋养一代又一代学子，为中华民族的伟大复兴奠定基础。当然，这些愿景断非一己之力能及，而是需要几代人的不懈努力，我们所起的作用仅仅是抛砖而已。国内儒学研究领军学者之一、武汉大学国学院院长郭齐勇教授听闻我们有此愿望后鼎力支持，欣然担任本套教材的总顾问，协调资源，并为之作序；武汉大学国学院院长助理孙劲松先生、向珂博士在筹组编者队伍时提供了真诚无私的帮助。此后又蒙秋霞圃书院院长、历史学家沈渭滨，语言学家李佐丰，古典文献学者骆玉明、汪涌豪、傅杰、徐志啸等教授在谋篇布局上的悉心指点，形成了本套"国学基本教材"的框架。确定框架之后，我们邀请了武汉大学、复旦大学、华东师范大学、南开大学、中国传媒大学、中山大学、内蒙古师范大学、陕西师范大学、南通大学等高校人文学科中青年学人和江浙沪地区几位优秀的中小学语文教师参与编写。

全书成稿后，沈渭滨、王家范、骆玉明、傅杰、汪涌豪、杨国强、张觉、张新科、徐志啸、鲍鹏山等教授审读了书稿，并提出了宝贵的修改意见；86岁高龄的书法名家章汝奭先生为“国学基本教材”题写书名；《儒藏》总编撰、德高望重的北京大学教授汤一介先生为我们赠书“圣贤之道”；丰子恺先生后人为我们提供了精美而颇有意蕴的24幅漫画用作丛书封面；朱青生教授为我们提供了汉画文献用于插图；画家李永源先生逾古稀之年，为这套丛书手绘了上百幅插画；浙江古籍出版社社长杨林海先生是我故交乡党，听闻我有意筹划一套面向中小学生的“国学基本教材”丛书之后，青睐有加，多方努力协调资源，亲自落实该套教材出版的相关事宜……所有殊胜因缘，都在襄助秋霞圃书院矢志传播中华传统文化的大愿，唯有在此深揖致谢。

由于主持者与编者的学识有限，尽管悉心编校，但不足之处难免，敬请方家、读者指正，以便来年修订时，相应校正。

意见和建议可致电：021-66366439，13816808263。通信地址：上海市嘉定区南大街嘉定孔庙秋霞圃书院，邮政编码：201800，电子邮件 :qiuxiapu@163.com。

李耐儒

癸巳春于嘉定孔庙